Mamãe Walsh

CB028519

Marian Keyes

***

Melancia

FÉRIAS!

SUSHI

Casório?!

É Agora... ou Nunca

LOS ANGELES

Um Bestseller pra chamar de meu

Tem Alguém Aí?

Cheio de Charme

A Estrela Mais Brilhante do Céu

CHÁ DE SUMIÇO

Mamãe Walsh

Marian Keyes

Mamãe Walsh

Pequeno Dicionário da Família Walsh

Tradução
Renato Motta

Rio de Janeiro | 2014

Título original: *Mammy Walsh's A-Z of the Walsh Family*

Capa e ilustração de capa: Carolina Vaz

Editoração: FA Studio

Texto revisado segundo o novo
Acordo Ortográfico da Língua Portuguesa

2014
Impresso no Brasil
Printed in Brazil

Cip-Brasil. Catalogação na fonte
Sindicato Nacional dos Editores de Livros-RJ.

K55m Keyes, Marian, 1955-
Mamãe Walsh: pequeno dicionário da família Walsh / Marian Keyes; tradução Renato Motta. — 1. ed. — Rio de Janeiro: Bertrand Brasil, 2014.
160 p.; 21 cm.

Tradução de: Mammy Walsh's A-Z of the Walsh family
ISBN 978-85-286-1758-0

1. Ficção irlandesa. I. Motta, Renato. II. Título.

CDD: 828.99153
14-15624 CDU: 821.111(415)-3

EDITORA BERTRAND BRASIL LTDA.
Rua Argentina, 171 — 2º andar — São Cristóvão
20921-380 — Rio de Janeiro — RJ
Tel.: (0xx21) 2585-2070 — Fax: (0xx21) 2585-2087

Atendimento e venda direta ao leitor:
mdireto@record.com.br ou (0xx21) 2585-2002

Sumário

Mona Hopkins é uma mulher que eu conheço das partidas de bridge. Uma mulher adorável, embora, cá entre nós, eu deva admitir que não vou muito com a cara dela. Mas Mona disse uma coisa fantástica um dia desses. No exato instante em que eu esperava que ela anunciasse "dois sem trunfo", ela me saiu com uma pérola sobre filhos.

Disse, solenemente: "Os meninos destroem a sua casa e as meninas destroem a sua cabeça."

Vocês não acham que essa frase maravilhosa encerra grande sabedoria? "Os meninos destroem a sua casa e as meninas destroem a sua cabeça!" Puxa, só Deus sabe que essa é a declaração mais verdadeira que ouvi em muito tempo. Posso falar por experiência própria. Tive cinco crianças — cinco filhas! — e posso lhes garantir uma coisa: a minha cabeça está destruída por causa delas.

Embora, refletindo melhor agora sobre o assunto, a minha casa também...

• • •

Vejam Claire, por exemplo, a minha filha mais velha. Ela foi um presente trazido para mim e para o sr. Walsh em 1966, os famosos "Swinging Sixties", como costumam chamar, embora nessa época ainda não existisse na Irlanda nenhuma caminhonete com porta traseira em "swinging" e ninguém se importasse com isso nem um pouco. Por que precisaríamos "suingar" quando tínhamos as nossas orações?

Além do mais, estava sendo inaugurada a nossa primeira estação de televisão exclusivamente irlandesa, a RTÉ, e isso nos mantinha muito entretidos o tempo todo. Não que soubéssemos o verdadeiro significado da expressão "fazer swing" — mas suspeitávamos que isso tinha a ver com usar vestidos muito curtos e cílios postiços.

Ficamos absolutamente encantados com Claire, é claro, embora eu tivesse fortes suspeitas, na época, de que o sr. Walsh teria preferido um menino. Mas Claire era uma criança muito alegrinha, vivaz. E uma fedelha abusada, se me permitem acrescentar.

Para ser completamente honesta, como Deus ensinou, confesso que achava difícil lidar com ela, sempre respondona e cheia de opiniões próprias. Mas se eu tivesse a mínima desconfiança do que me esperava mais adiante na estrada da vida, quando Helen nasceu, teria me ajoelhado todos os dias para agradecer a Deus por Ele ter me enviado uma menina tão boazinha.

Por algum tempo me pareceu que Claire faria tudo à minha maneira: foi para a universidade, formou-se e depois casou-se com um contador. Foi então que tudo virou "de pernas pro ar". (Tudo bem eu usar essa expressão? Nunca sei quais as gírias aceitáveis para uma mulher da minha idade e condição, e quais não.)

Mas a verdade é essa: tudo virou "de pernas pro ar" para Claire porque seu marido a abandonou no dia em que ela deu à luz seu primeiro bebê. Sorte é que ela é uma sobrevivente nata e já contou toda a sua vida no livro Melancia.

Em 1969 foi a vez de Margaret vir ao mundo. Sei que uma mãe não pode declarar que tem uma filha favorita, mas se eu *fosse obrigada* a escolher uma delas, seria Margaret. Uma menina boa, boa, muito boa, de verdade. É obediente, sempre fala a verdade, e todo esse tipo de coisas. Eu a acho um pouco chata e apagada, já que estamos falando de forma aberta e franca, mas ninguém é perfeito. Também não me empolgo com o seu visual. Puxa, custava passar um batonzinho de vez em quando? Eu vivo me perguntando isso.

O mais engraçado é que ela considera Kate Middleton o seu "ícone de estilo", sempre arrumada e muito elegante. Confesso que também sou grande admiradora de Kate Middleton. Seus cabelos são impressionantes, e não vi nada de errado naquelas sandálias de salto anabela, revestido de cordas.

Margaret nunca me causou um único momento de preocupação. Achei que tivesse uma filha bem-criada, embrulhadinha para o mundo, até que, do nada, ela largou o seu lindo e confiável marido, Garv, e se mandou para Los Angeles — onde a sua amiga Emily morava. Assim que chegou lá, ela se meteu em todo tipo de loucuras e desatinos, metade dos quais eu não soube na época e *nem quero* saber. (Isso é mentira, é claro. Eu adoraria conhecer cada detalhe. Odeio quando elas não me contam as coisas, mas Helen me explicou que o choque certamente me mataria. De qualquer modo, a história completa está no livro **LOS ANGELES**, caso queiram descobrir tudo por si mesmos.)

Rachel, minha filha do meio, nasceu em 1970, pouco tempo depois que o emprego do sr. Walsh nos obrigou a nos mudarmos de Limerick para Dublin. Rachel, vou logo avisando, era uma criança muito alegre e divertida, mas às vezes se mostrava desafiadora, depois ficava sensível demais e em seguida voltava à atitude de desafio. Não ajudou em nada o fato de Claire e Margaret terem formado uma "aliança" sólida como rocha e nunca permitirem que Rachel brincasse com elas.

Foi então que algo importante aconteceu em 1974, poucos meses depois de Anna nascer, e isso pode ter "afetado" Rachel. Meu pai faleceu, e, embora não exista para mim essa coisa de depressão, admito que me senti um pouco "estranha".

Claire e Margaret tinham uma à outra, e a minha irmã Kitty veio para ajudar a cuidar de Anna, porque o sr. Walsh precisou ficar em Manchester por alguns dias, a trabalho. Acho que, no meio dessa confusão, Rachel não recebeu toda a atenção de que precisava.

Mas compensou isso mais tarde, na vida adulta. Pra cacete, como se costuma dizer. (Ou não? Ainda é permitido usar a expressão "pra cacete"? Minha Santa Mãe Divina, essa história do "politicamente correto" é um verdadeiro campo minado. Vivo sofrendo por isso. Lá estou eu dizendo uma palavra ou usando uma expressão que usei a vida toda, e, de repente, as pessoas começam a me olhar como se eu tivesse acabado de assassinar alguém. Vocês sabiam que não se pode mais dizer "oriental"? Da noite para o dia, essa palavra foi banida! O certo é "de procedência asiática". Só que a Ásia é *gigantesca*. Como é que alguém pode saber de que parte da Ásia as criaturas vieram só por ouvi-las se apresentar com um "Somos de procedência asiática"?)

Rachel passou algum tempo morando em Praga, mas logo se mudou para Nova York. Em algum lugar ao longo dessa trilha, vocês acreditam que ela acabou se viciando em drogas?!

Houve um evento que, segundo me contaram, recebeu o nome de "tentativa de suicídio fracassada", e ela acabou tendo de ir para uma clínica de recuperação de drogados. (Ela mesma relata toda a sua história no livro FÉRIAS!)

Naquele tempo, ninguém costumava frequentar "clínicas de reabilitação". Agora, é claro, até os vira-latas de rua "se internam" a cada cinco minutos. Atualmente, aliás, é mais provável que a pessoa seja marginalizada *se nunca tiver se internado* numa clínica de reabilitação, mas naquela época isso era um choque e eu senti muita vergonha dela.

Então, como eu estava contando, em 1974 a minha filha Anna — mais uma menina! — nasceu e a minha pilha acabou. Parei de tentar moldar as minhas filhas para serem como eu. Ela que se dane, pensei, pode ser e fazer o que lhe der na telha. Foi assim que ela passou a viver num mundinho fechado. Um doce de criança, não vou dizer que não, mas era muito vaga e etérea. "Vivia na companhia de fadas" — essa é a melhor maneira de descrevê-la. Seus pés sempre a meio metro do chão. Obcecada por cartas de tarô, videntes, cartomantes, misticismo e todo esse papo barato sobre coisas misteriosas. E as roupas dela... Vocês nem imaginam! Saias compridas, muito rodadas e com padrões em zigue-zague, oriundas da época dos hippies. Certa noite, ela quase pôs fogo na casa ao tentar tingir um casaco dentro de uma panela imensa colocada em cima do fogão.

Outra vez foram os adorados troféus de golfe do seu pai, que quase foram roubados porque ela voltou da rua completamente chapada e deixou a chave espetada na fechadura *pelo lado de fora*, para qualquer ladrão entrar e se servir. É lógico que um deles fez exatamente isso. Se não fosse o sr. Walsh, que acordou mais cedo na manhã seguinte, seus troféus teriam sido afanados na maior cara de pau, juntamente com a tevê e o forno de micro-ondas.

Mas, porém, todavia, contudo!... Estou erguendo o dedo indicador aqui, como a sábia mulher que sou! Confesso que rotulei Anna de um jeito muitíssimo errado.

Foi Anna que promoveu a maior virada em sua vida, de todas as cinco. Durante anos ela tinha sido completamente inútil, nunca conseguira ganhar um único centavo com o seu trabalho e se mostrava absolutamente incapaz de se segurar em um emprego, mesmo que a sua vida dependesse disso. Foi então que se mudou para Nova York e, depois de uma série de acontecimentos felizes (ela conta tudo no livro *Tem Alguém Aí?*), conseguiu O Melhor Emprego do Mundo®, trabalhando como relações-públicas de diversas marcas de cosméticos mundialmente famosas. Portanto, nunca desista de uma pessoa; foi isso que a história de Anna me ensinou.

Em 1978, em uma última e desesperada tentativa de conseguir um menino para brincar com o sr. Walsh, veio Helen. Por onde devo começar a descrevê-la? Quem fez a Helen quebrou o molde — e todos devem se sentir, no mínimo, muito gratos por isso. Existe apenas uma como ela com quem o planeta tem de lidar. Tudo o que eu posso dizer a seu favor é que ela tem um bom emprego — é investigadora particular.

Às vezes, quando precisa de uma mãozinha, eu a ajudo. Meus casos favoritos são aqueles em que ela tem de revistar a casa de uma pessoa. Eu adoro dar uma boa olhada nas casas dos outros e xeretar em tudo enquanto eles estão fora. Daria até o meu último centavo para ser deixada livre, leve e solta na residência dos Kilfeather. (Eles são os nossos vizinhos. Gente adorável. Somos muito amigos, é claro. Mesmo assim, acho que odeio profundamente a sra. Kilfeather. Não sei como explicar melhor esse sentimento.)

O nome do sr. Walsh é Jack, e contarei mais a respeito dele quando chegarmos à letra U (de Útil). (Ele passa o aspirador de pó na casa.) (E ganha todo o dinheiro para o sustento do lar.) (Não que eu o deixe ficar com algum do dinheiro que ganha, é claro, pois ele gastaria tudo. Estou no comando quando se trata do quesito despesas.)

Mamãe Walsh

Pequeno Dicionário da Família Walsh

A

A de Álcool

Nem eu nem o sr. Walsh somos o que o povo chama de “grandes pinguços”. Lógico que, de vez em quando, eu tomo um ou dois *spritzers*, vinho branco com água mineral gasosa, quando saímos para beber alguma coisa, e é claro que o sr. Walsh se permite tomar uma garrafa de cerveja Smithwick’s no clube, depois de uma bela partida de golfe.

Dito isto, devo informar que não faço a mínima ideia de a quem as minhas filhas puxaram, pois obviamente não aprenderam a beber conosco (embora eu deva confessar que problemas de bebida existam em outros ramos da nossa árvore genealógica). O fato é que, no instante em que cada uma delas colocou o pé na adolescência, todas entraram nessa (com exceção de Margaret, é claro).

Eu tinha um lindo bar na sala, cheio de garrafas de bebida. De vez em quando, eu tirava o pó delas.

Naquele tempo, os vizinhos sempre traziam garrafas de drinques exóticos quando tinham a sorte grande de fazer uma viagem ao exterior, e foi assim que surgiu a garrafa de Ouzo, uma bebida típica da Grécia, à base de anis, que eu ganhei quando a sra. Hennessey esteve por lá.

Minha irmã, Kitty, nos trouxe uma garrafa de vermute na viagem que fez a Roma (ocasião em que conheceu aquele homem casado, mas quanto menos tocarmos nesse assunto, melhor).

A secretária do sr. Walsh (naquela época podíamos chamar essas jovens de "secretárias". Não é o caso, atualmente, quando se diz "assistente pessoal" para isso, "assistente pessoal" para aquilo) costumava visitar os lugares mais estranhos do mundo e nos trouxe uma garrafa de Slivovitch húngara.

Anna ganhou uma garrafa de um troço amarelo, meio engraçado, na rifa de São Vicente de Paulo.

A questão principal é: ninguém *tomava* nenhuma dessas bebidas; ninguém deveria *tomar* nenhuma delas. Eram enfeites da casa. Belos enfeites dourados, reconheço, do mesmo modo que o meu lindo vaso de porcelana Anysley era um enfeite até Claire o atirar contra a parede e transformá-lo em mil caquinhos no dia em que seu marido a trocou por Denise, a vizinha do andar de baixo. Ou do jeito que o meu lindo quadro "Menino Chorando" é um enfeite.

Enfim, voltando ao assunto... Não é que, quando Claire tinha mais ou menos quinze anos, ela começou a curtir essa travessura? Ia secretamente de garrafa em garrafa, pegando um pouco de bebida de cada uma delas até encher uma garrafa de limonada; depois, bebia a garrafa *toda*. Só Deus sabe o gosto que tinha uma mistureba assim, mas ela não ligava. O que mais importava era que o "coquetel" a deixasse inebriada. Ou bêbada. Ou chapada, mamada, pinguçada, de porre, de cara cheia, de fogo, chamando urubu de meu louro, trocando as pernas...

Dizem que os esquimós têm cem palavras para se referirem à neve, mas os irlandeses devem ter, pelo menos, umas cento e cinquenta palavras e expressões para descrever alguém em estado de embriaguez. Cuspir fogo e "chamar Jesus de Genésio" são outras pérolas que já ouvi as minhas filhas usando.

Portanto, sem que eu nem soubesse a primeira estrofe da ladainha, Claire já estava "dando nó em pingo d'água" regularmente, servindo-se das bebidas do meu lindo bar. Depois de algum tempo, o nível do líquido das minhas preciosas garrafinhas começou a despencar de forma alarmante.

Vocês conseguem adivinhar o que a descarada da Claire fez, certo dia? Completou as bebidas com água, foi isso que ela fez. E as manteve sempre cheias a partir de então. Não deixou de colocar água nas pobrezinhas até que algumas garrafas — especialmente as de vodca — se tornassem *cem por cento* água.

Pela ordem natural das coisas, talvez eu nunca descobrisse esse estratagema, só que em um belo sábado à noite, recebemos convidados. Nossos vizinhos, o sr. e a sra. Kelly, e também o sr. e a sra. Smith vieram nos visitar. (O motivo de termos convidado esses casais, especificamente, foi que os Kilfeather, que moram na casa ao lado, tinham oferecido uma pequena "recepção" na semana anterior, convidaram vários vizinhos nossos e nos esnobaram; portanto, acho que eu queria mostrar a eles que também tínhamos amigos. Os barracos e as baixarias no dia a dia dos subúrbios de Dublin podem ser selvagens.)

Foi então que eles chegaram, os Smith e os Kelly, e a situação foi a seguinte: embora raramente bebêssemos, havia certos dias e ocasiões em que se esperava que as pessoas ingerissem *muitas* bebidas alcoólicas. Não era como agora, época de bebidas leves, um chardonnay aqui, um cooler ali, e, quando o sujeito pede um vinho do Porto ou um brandy, eles o pegam pelo colarinho, arrastam-no até a viatura e levam o pobre desavisado para uma reunião dos Alcoólicos Anônimos.

Eu e a sra. Kelly estávamos só na vodca Smirnoff, numa boa, mas o sr. Walsh, o sr. Kelly e o casal Smith ingeriam álcool de verdade e acabaram chapados, mamados, de cara cheia, de fogo, chamando Jesus de meu louro etc.

Nesse instante, para minha eterna vergonha, não é que o sr. Walsh admitiu ter descoberto uma brecha na legislação e confessou que usava isso para se isentar do pagamento de vários impostos? Fiquei escandalizada! (Pelo fato de as pessoas descobrirem a mutreta, é claro; no fundo, eu estava muito orgulhosa do meu marido por ele ter conseguido surrupiar algumas libras do Leão.)

Foi então que os Smith resolveram elevar o cacife da rodada revelando a todos os presentes que o sr. Smith tinha tido um caso extraconjugal no ano anterior! Todos ficaram pasmos e tiveram convulsões de riso, gargalhando de rolar no chão e segurar a barriga, exceto eu e a sra. Kelly, que permanecemos sentadas com a cara dura e sólida como rocha, completamente sóbrias e sem achar graça nenhuma. Foi nesse instante que caiu a ficha e eu percebi o que andava acontecendo na minha própria casa...

É claro que naquele momento eu não tinha como testar a vodca num laboratório; antes disso, eu precisava expulsar os pés de cana da minha casa. Mas, no dia seguinte, constatei o que a minha intuição já havia me garantido.

Sabem o que foi que eu fiz? Tirei a minha linda coleção de garrafas do bar, guardei-as num armário fechado e tranquei a porta. O problema foi que, em questão de dias, uma delas — imagino que tenha sido Claire, acho difícil que fosse Margaret — conseguiu abrir a fechadura, e isso deu início a uma espécie de guerrilha. Eu continuava trocando as bebidas de lugar — escondia tudo debaixo das camas, atrás do botijão de gás, cheguei até a consultar a irmã do sr. Walsh que, para a minha comodidade, é alcoólatra. Ela me recomendou esconder tudo dentro da caixa d'água que fica acoplada na privada. Só que elas continuavam descobrindo cada novo esconderijo!

Até hoje eu não consigo ter bebidas em casa. Nenhuma das minhas filhas está morando conosco *no momento*. Mas é só uma questão de tempo até que enfrentem uma crise pessoal e voltem a morar comigo e com o sr. Walsh. Isso é irritante!

Não conseguimos saborear de forma adequada os nossos "anos dourados". E se quiséssemos levantar acampamento, enfunar as velas e passar a vida em cruzeiros pelo mundo? (Para ser franca, porém, devo confessar que acho que existem poucas coisas piores do que ficar confinada a um espaço minúsculo em alto-mar, sem poder assistir às minhas novelas.) (Tem mais uma coisa: se existem pessoas com tanta falta de sorte a ponto de serem raptadas por piratas somalianos, essas pessoas somos nós.)

A também é de Árvore sobre um Poço Sagrado

De certa forma, ser como uma árvore sobre um poço sagrado é o oposto de "zaganar" algo ou alguém (vejam na letra Z). Quando uma pessoa acabou de sofrer um golpe pesado e deseja que todos saibam da sua infelicidade mostrando-se pesarosa, lamentando-se por sua vida triste e comportando-se como uma infeliz desprezada, pode-se dizer que ela é como uma "árvore sobre um poço sagrado". Ela se arrasta pela casa como quem puxa uma corrente, com cara de gaveta despencando, se é que vocês me entendem. Se um marido "aprontou e fez uma baita sacanagem" com a esposa, ou se uma pessoa perdeu o emprego, teve o carro roubado, sua autopiedade passou dos limites e está começando a lhe dar nos nervos, simplesmente anuncie, com ar jocoso: "Olhe só pra você, toda tristinha e de farol baixo, feito uma gaveta despencada! Mais parece uma árvore sobre um poço sagrado!"

Você ficará espantada com o efeito que isso tem sobre as pessoas. Geralmente elas se encrespam todas, levantam-se num rompante e vão embora na mesma hora, certamente em busca de algo construtivo para fazer. Às vezes, elas se mostram tão gratas que lhe dão um soco no braço antes de sair.

B

B de Bublé

Michael Bublé. Sou "fanzoca" desse jovem altamente talentoso. Ele tem uma voz tão maravilhosa quanto a de Frank Sinatra dos "Velhos Olhos Azuis", além de ter um coração muito generoso. Vocês viram no YouTube a vez em que ele chamou aquele jovem para cantar com ele no palco? (Repararam como estou sempre em dia com essas coisas de alta tecnologia? Helen me ensina tudo a respeito. Não presta para muita coisa, a minha Helen, mas para isso ela é boa.) Sim, Michael Bublé é um artista completo. Para melhorar mais ainda, tem um belo par de coxas para acompanhar o cenário.

B também é de Bilau

Bilau é uma gíria para o "membro" masculino. Já ouvi as minhas filhas conversando a respeito. "Banana" é outro nome que elas usam. E também "salame", "bengala", "cipó", "mandioca", "canudo"... Os "títulos" não acabam nunca. "Joystick" é uma referência mais recente.

Elas falam tudo isso na minha frente com o maior descaramento. Contam um monte de coisas sujas e agem como se eu não estivesse presente.

"Qual é o tamanho do ganso dele?"

"Eu acho que ele nunca lava o careca."

"Aquela clarineta já tocou em muitos bailes."

Eu sou a mãe delas! Essas meninas não demonstram o mínimo respeito!

C

C de Cozinha

Como todas as mulheres irlandesas da minha geração, tenho muito talento para cozinhar o "trivial". Comer a minha comida *não é* uma atividade de alto risco, como afirmam as minhas filhas. Também *não é* um esporte radical. Muito menos tem algo a ver com fazer Roleta Russa usando um revólver com as seis balas. Essas meninas não têm mesmo noção de nada. Cozinhar os alimentos é uma coisa *boa*; mata os germes. Temperos são uma coisa *má*; podem fazer mal ao estômago.

Durante muitos anos eu passei a vida preparando jantares para elas. Experimentava isso, misturava aquilo, tentava aquilo outro, pegava receitas com as vizinhas e recortava dicas de culinária nos jornais.

Mesmo assim, tudo que elas comiam eram sucrilhos. *Elas se entupiam* de sucrilhos! Foi por isso que, um belo dia — "por exigência popular" é o que diz Claire —, eu desisti. Confesso que "o sangue me subiu à cabeça" e eu me levantei, vesti o meu casaquinho de lã, peguei a bolsa e disse ao sr. Walsh: "Vamos lá, levante-se dessa mesa porque nós vamos sair!" "Aonde vamos", quis saber ele, receoso de não voltar a tempo de assistir à partida de golfe na tevê. "SAIR!", repeti. "E traga o talão de cheques."

Fomos a uma loja de eletrodomésticos e compramos um forno de micro-ondas; também adquirimos um freezer grandão, de boa marca, o maior que havia na loja. Passei a estocar o freezer até estourar com *fast-food* congelado. Hoje em dia, quando qualquer uma das minhas filhas entra na cozinha choramingando com ar patético e reclamando "Tô com fooome!", eu a pego pela mão, abro a porta do freezer e, com um floreio elaborado, aponto para todos os maravilhosos pratos prontos e congelados que estão à disposição. "Pode escolher", foi o que passei a dizer. Depois eu as levo até o micro-ondas e completo "Aleluia para o micro-ondas, o maravilhoso aparelhinho que parece uma tevê e serve para descongelar a gororoba que está em suas mãos! Hosana para o *freezer*! Sejam bondosas e respeitem essas duas máquinas maravilhosas que provarão seu valor inestimável na luta contra a fome nesta casa."

Sim, eu me sinto culpada, é claro que me sinto culpada. Esse é o meu papel, na qualidade de mãe. Como é mesmo aquela frase que dizem por aí...? Ah, sim, "O lado de uma mulher é o lado errado!" Mas o fato é que não havia razão para eu tentar continuar na cozinha, nem um motivo minúsculo sequer. Acabaríamos todos com escorbuto!

O freezer e o micro-ondas foram os mais recentes aparelhos modernos que comprei para a cozinha. Claire, que delira e acha que existe uma *chef de cuisine* dentro dela, chama o aposento de "A cozinha que o tempo esqueceu". De vez em quando, ouço pessoas conversando com muita empolgação sobre processadores de alimentos, cortadores eletrônicos de legumes, e simplesmente abstraio e "saio do ar". Eu não conseguiria ficar mais entediada do que ouvindo papos desse tipo nem que me pagassem. O pior presente que o sr. Walsh poderia me dar é um liquidificador, mas acho que isso vale para todas as mulheres. Certamente o meu agradecimento para ele seria: "Liquidificador? Pois deixe que eu lhe mostro o meu liquidificador... quando você for dormir... e não estiver com as mãos enfiadas nos países baixos como costuma fazer..."

C também é de Confeitaria

Por conta de não existir nenhuma outra comida apropriada em casa, temos um estoque imenso de biscoitos, bolos, pães doces e sorvetes, para compensar. Afinal de contas, precisamos comer *alguma coisa*.

C também serve, é claro, para Cornettos. Experimentamos todos os novos lançamentos. Quase todos os verões eles adaptam os Cornettos, apresentando alguns novos sabores e "edições limitadas"; devo admitir que os Cornettos realmente passaram no teste do tempo e continuam sendo muito mais práticos para se comer dirigindo um carro do que qualquer sorvete de casquinha comprado em máquina.

Os sorvetes Magnum — que chegaram tarde ao mercado, em comparação aos muitos anos de leais serviços prestados pelos Cornettos — também são grandes favoritos na residência dos Walsh. Como certamente vocês já repararam, o Magnum brinca com os conceitos básicos da propaganda, o que geralmente é divertido.

No verão que eles lançaram a série Sete Pecados Capitais, eu só sosseguei depois de caçar, comprar e comer todos os sete sabores, e levei um tempão para conseguir encontrar o Luxúria. Finalmente achei, no finzinho do verão, num posto Texaco em Westport, cinco minutos antes de a loja fechar! O sr. Walsh diz que eu não deveria encarar essas campanhas publicitárias como uma ordem. Eu não faço isso. Eu simplesmente as enxergo como uma espécie de desafio.

C também é de "Cajado para Apressar Idiotas"

Estou rindo aqui sozinha, mas ao mesmo tempo me sinto um pouco envergonhada, porque não sei se deveria ou não contar essa história para vocês. Receio que isso vá me deixar "mal na fita" (nem sei se essa expressão ainda se usa). Por outro lado, todos merecem dar umas boas risadas, de vez em quando.

Tudo bem, já decidi. Vou lhes contar o que é um "Cajado para Apressar Idiotas".

Aconteceu assim: eu e a minha irmã, Bernadette, viajamos para Lourdes; estávamos no aeroporto de Dublin e... Geeente, vocês não acreditam na quantidade de pessoas que havia por lá! Todo mundo caminhando na velocidade errada. A maioria numa lentidão de matar!

Bernadette murmurou para mim: "Deus me perdoe, mas estou sentindo a maior gana de matar esse povo todo. Gostaria de ter trazido a minha machadinha." (Bernadette se casou com um fazendeiro. Às vezes, precisa cortar lenha e tem muito orgulho da sua machadinha, tanto quanto as pessoas comuns têm do seu celular.)

E foi assim que a ideia do "Cajado para Apressar Idiotas" surgiu!

Decidimos que ele deveria parecer algo inócuo, uma bengala comum, só que teria um pequeno dispositivo na ponta, um "troço discreto" que serviria para dar um choque elétrico na pessoa — um choquinho fraco, é claro; afinal, não queríamos ferir ninguém... Mais ou menos.

A ideia era somente apressar um pouco as pessoas. E dar-lhes uma pequena ferroada, aproveitando a oportunidade.

Não estávamos tentando nos vingar de alguém, especificamente Só queríamos que as coisas acontecessem de forma mais *eficiente*.

Puxa, imagine que você está no aeroporto tentando chegar ao seu "portão de embarque" e um monte de pessoas "sem noção" caminha na sua frente com toda a calma do mundo. Elas são muitas, e não dá para abrir caminho na base da cotovelada; acabamos ficando irritados e pensando com os nossos botões: "Dá pra apressar um pouco o passo, pelo amor de Deus?" Também não tem nada a ver com a preocupação de perder o avião, é simplesmente algo enlouquecedor e irritante.

Sob circunstâncias normais, a pessoa tem que se aguentar atrás da boiada, arrastando-se no passo dos moloides e deixando-os determinar o ritmo, por assim dizer. Mas se você tivesse um "cajado para apressar idiotas", tudo seria diferente. Bastaria dar uma leve batida com o cajado na parte de trás da perna dos molengões; eles levariam um choque suave, perceberiam que estavam sendo idiotas, agradeceriam por alguém ter chamado a atenção deles para esse fato e começariam a andar mais depressa. E, quando alcançassem a velocidade do seu agrado, você poderia parar de lhes dar choques.

Puxa, demos boas gargalhadas, eu e Bernadette, com a nossa "invenção"! Decidimos que iríamos à Caverna dos Dragões, aquele programa de tevê em que empresários financiam novos empreendimentos e apresentaríamos a nossa ideia revolucionária. "Viemos aqui para pedir um financiamento com a proposta de um preço final de quatro euros e setenta centavos", disse

Bernadette, com voz séria. Eu completei: "Participação com noventa por cento do custo arcado pela empresa de vocês." É claro que não falávamos sério. Depois, lembramos que, quando as pessoas vão ao programa para obter investimentos em sua fábrica de chocolate, por exemplo, levam um pratinho para todos os "dragões" experimentarem o produto final. E decidimos que faríamos a nossa demonstração do "cajado para apressar idiotas" aplicando um choque em todos os empresários da mesa. Foi muito LOL, como Helen escreve nos Twitters.

Eu e Bernadette estávamos rindo tanto que as lágrimas começaram a escorrer de nossos olhos e só sossegamos o facho quando uma senhorinha com uma mala cor-de-rosa, de rodinhas, bateu nas nossas costas e reclamou: "É melhor parar com a sacanagem e andar mais depressa, suas idiotas!"

C também é de Crianças Abandonadas pelos Pais

Muitas vezes, quando eu era novinha, costumava ter um sentimento *estranho*, como se não pertencesse à minha família. Costumava devanear sobre a possibilidade de eu ser uma criança abandonada pelos pais. Vocês sabem como é: um bebê recém-nascido achado envolto num cobertor de lã depois de ter sido largado na porta dos Maguire. A família me acolheu, é claro, e lidavam comigo da melhor forma que conseguiam, mas não eram a minha família *de sangue*, entendem? Eles sabiam disso e eu também.

Durante muito tempo fiquei convencida de que, um belo dia, minha mãe e meu pai verdadeiros apareceriam para me resgatar e todos descobririam que eu, na realidade, era uma princesa.

Mas, é claro, ninguém mais se sente desse jeito!

C também é de Couve-flor com Mania de Grandeza

Ou, como Claire insiste em chamar: "brócolis". Porém... — e sei disso com certeza absoluta porque conversei com um verdureiro muito famoso a respeito do assunto — brócolis é uma coisa que não existe. Um brócolis não passa de uma couve-flor com mania de grandeza. Uma couve-flor que se recusa a aceitar suas limitações.

Uma couve-flor que, levada pelo desejo profundo de ser diferente, se pintou de verde-escuro. Resumindo: uma couve-flor que gosta de aparecer.

Costumo ter diante das coisas uma atitude do tipo "viva e deixe viver". Pergunte a qualquer pessoa das minhas relações, e ela lhe dirá que eu sou a criatura mais complacente e fácil de lidar que existe. O problema foi que Claire decidiu que queria brócolis no bufê do seu casamento e não era porque brócolis fosse o seu vegetal favorito, como alegou, e sim porque decidiu me deixar embaraçada diante dos meus parentes do interior, que não reconheceriam a diferença entre um maço de brócolis e um fardo de feno.

Rachel fez a mesma coisa em seu casamento — queria porque queria coisas inexistentes chamadas "favinhas de ervilha doce". Mais um detalhe (*vejam se é possível!*): a minha surpreendente e irritante Rachel também queria apresentar uma "opção vegetariana" para o jantar, o que me deixou arrasada. Oferecer uma "opção vegetariana" para os meus parentes do interior é o mesmo que dizer: a) não podemos bancar uma refeição com carne para vocês, e b) nem queríamos mesmo que vocês viessem.

C também é de Calcinha

Sei muito bem o que são calcinhas, é óbvio. Com cinco filhas que sempre me trataram como a sua lavadeira pessoal, é claro que eu saberia.

Entretanto, e sem nenhum aviso prévio, alguém em algum lugar inventou um novo tipo de calcinha chamado "tanga". Só que elas se esqueceram de me avisar a respeito disso, e um dia, quando eu estava lavando a roupa de Rachel, achei que tivesse apertado algum botão errado na máquina. Juro que achei que, sem querer, eu havia descosturado e desfiado uma bela peça de calcinha preta rendada, pois a parte da frente tinha sumido, deixando um simples fio de fibra feito de material não identificado. O pior é que quase toda a parte de trás também havia desaparecido. Mas não era nada disso, segundo ela me explicou. A roupa era daquele jeito mesmo e, pelo que eu entendi, o fio que eu achava que cobria a frente era, na verdade, a parte de trás.

Levei um tempo para entender o que ela estava me descrevendo, e, quando isso aconteceu, fiquei enojada. Por que alguém usaria uma roupa tão desconfortável? Para ficar sexy, suponho. Sexy, sexy, sexy, o mundo inteiro tem mania e obsessão por parecer sexy. Querem sofás que sejam sexy, halibutes sexy, relatórios sobre armas de destruição em massa que também sejam sexy!

Mas aparentemente eu supus errado — elas usam tangas para evitar que apareça a marca do elástico da calcinha, não tem nada a ver com parecer sexy. (Será que elas pensam que eu sou idiota?) Depois, como se a nomenclatura das roupas de baixo já não estivesse confusa o bastante, trocaram o nome das "tangas" para "fio dental".

Bem, eu tenho alguns nomes secretos para elas. Eu as chamo de "barbantinho cheiroso" e também "navalha de corte". Sinto uma coceirinha entre as nádegas só de pensar naquele troço lá dentro. E tenho mais uma novidade: vocês ainda podem manter a marca da calcinha mesmo usando essas "navalhas de corte", só que a marca do elástico vai ficar num lugar diferente, muito mais em cima. De vez em quando, estou na rua observando a vida, as coisas e as criaturas, e faço "inspeções mentais" sobre essa síndrome das jovens modernas, mas Helen me dá tapas no braço e me manda parar de olhar para as bundas das mulheres.

Ora, que audácia! Eu não estou olhando "desse jeito". Simplesmente fico interessada, e o que acho fascinante é que até mesmo algumas das mulheres mais sem atrativos do mundo têm a coragem de usar uma calcinha fio dental. Entendem o que eu quero dizer? Elas podem ter coques de "mamãe-das-antigas", usar sapatos simples de plástico, leggings brancas vagabundas e... *uma calcinha fio dental preta!*

Mais uma coisa... Por que diabos as pessoas vivem trocando os nomes das coisas e das marcas? Marathon era um bom nome. Ulay era uma boa marca. Jif era um nome excelente. Eu fiz a transição para os novos nomes das marcas — algo desafiador, podem acreditar — e uso até Snickers e Olay. Mas vou fincar pé firme e chamar o limpador Cif de Jif. Afinal de contas, o nome antigo era muito mais charmoso. Pretendo fazer isso até o dia da minha morte. "Jif" era um nome perfeito. "Jif" dava a sensação de velocidade, eficiência, e transmitia a imagem do "poder da limpeza". "Cif" não tem nada a ver.

D

D de Depressão

Só que não existe uma coisa dessas. Ouvi um grande versinho a respeito desse assunto, um dia desses: "Tire essa cara de enterro e reconheça o seu erro." Costumo usá-lo sempre que alguém vem encher meus ouvidos falando de depressão. Nunca "sofri" de depressão.

Quando Rachel foi para o centro de tratamento, tive de participar de uma sessão de terapia familiar, e elas me acusaram de ter tido um colapso nervoso depois que meu pai faleceu. Vejam só o descaramento das minhas filhas! Um colapso nervoso! Como elas costumam dizer... "É mole, isso?"

Eu tinha quatro filhas, todas com menos de nove anos — onde é que eu poderia arrumar tempo para ter um colapso nervoso? Além do mais, colapsos nervosos ainda não tinham sido inventados naquela época! É uma novidade dos tempos modernos, como a Disfunção Erétil e a Síndrome do Déficit de Atenção. Disfunção Erétil uma ova — ele simplesmente não está mais a fim de você! Síndrome do Déficit de Atenção duas ovas — estar entediada com as coisas, essa é a descrição correta. Como quando eu vou ao circo.

Vou lhes contar uma coisa... Sempre que eu tenho a infelicidade de *ser obrigada a ir* ao circo, sinto a maior vontade de pular da minha cadeira, dar uma de maluca e sair distribuindo bordoadas e chutes no traseiro de todos os palhaços do picadeiro, mas fico sentadinha no meu canto com um sorriso grudado na cara, porque tenho um histórico de boa educação e bom comportamento.

Não existe essa coisa de depressão, e, se algum dia eu me sentir um pouco "pra baixo" — embora isso nunca tenha acontecido, é claro —, já descobri a cura infalível para esse mal: basta passar um pouco de batom e ir ao cinema.

(Outra coisa que eu digo quando as pessoas vêm com a ladainha da depressão, ou de ficar internado e tentar estabilizar seu estado com medicamentos é: "Se a vida lhe der um limão, faça uma limonada." Não gosto muito dessa expressão porque não a compreendo muito bem — por que eu me daria ao trabalho de fazer uma limonada se posso simplesmente comprá-la? Aliás, vocês sabiam que, quando a pessoa prepara a própria limonada, ela fica totalmente sem gás?)

Foi então que Helen — logo ela, de *todas* as pessoas que eu conheço — recebeu um diagnóstico de estar com depressão. Mas devemos dar crédito a ela... Embora visse morcegos gigantes no céu quando eram apenas gaivotas e desejasse ser morta num acidente de carro, ela insistia o tempo todo que sofria apenas de um tumor no cérebro. Era inflexível com relação a isso. Resolveu visitar o dr. Waterbury e avisou logo de cara que estava disposta a começar as sessões de quimioterapia quando ele quisesse. Mas ele lhe fez um monte de perguntas e, pelo visto, ela deu as respostas erradas — não tinha dores de cabeça frequentes, não via flashes de luz, não sofria de tonteiras súbitas e *estava*, sim, com muitos sintomas de depressão.

Vou lhes sussurrar uma coisa no ouvido: Fiquei assim meio... bem... Fiquei *desapontada* com Helen. Esperava mais que algo assim da minha filha. Ela costuma dizer que isso se chama "medo", pois, se uma pessoa como ela pode ficar com depressão, isso significa que *qualquer pessoa* também pode. Isso não tem nada a ver. Eu não tenho medo. Não tenho medo de nada!

Só de o meu bom nome ser arrastado na lama, é claro. E confesso que não sou muito amiga de cobras. Também não gostaria de receber um prato de ouriços-do-mar num jantar elegante, com todas as pessoas me olhando.

Mais uma coisa: não gosto de me imaginar sendo enterrada viva por acidente — quando eu morrer, quero que todo mundo confirme direitinho, de forma apropriada, que eu bati as botas; a gente ouve um monte de histórias sobre pessoas na China que voltaram à vida seis dias depois de terem morrido... Ah, e nunca mais quero enfrentar uma prova de física do ensino médio em toda a minha vida; se bem que eu nunca estudei física porque não era permitido às meninas estudar esse tipo de matérias — sabem como é... matemática, química etc. —, para não terem ideias de terminar o curso, conseguir um emprego e acabar roubando-o de um homem mais merecedor que elas.

D também é de Deus

Ou "O Homem lá de cima", como gosto de chamá-lO. Ele definitivamente *é homem*. Não tenho paciência para esse papo de "deusa". Nem para as pessoas que veem Deus na natureza. Deus é Deus, do jeito que está descrito na Bíblia. Sou muito devota. Deus é extremamente poderoso e é melhor mantê-lO sempre do nosso lado.

Devido ao excesso de preocupações provocadas pelas minhas filhas, eu rezo muito. Se eu fosse muito meticulosa e cobrasse resultados, teria de reconhecer que Ele nem sempre atende às minhas preces. Mas isso não me impede de continuar pedindo. Padre Lumumbo diz que não deveríamos achar que as nossas preces são uma "lista de compras" de todas as coisas que gostaríamos de ter em nossa vida. Isso me deixa perplexa. Se não for para rezar por coisas boas, para o que ele acha que eu deveria rezar?

D também é de Dona Sukita

Sukita, como todos sabem, é a marca de um refrigerante de laranja. Não sei se ainda é fabricado, mas é uma marca muito famosa, só para as pessoas que não o conhecem poderem entender a história.

A questão é que eu gosto de me cuidar no que diz respeito a produtos de beleza. E naquela vez em que Margaret chocou todos nós ao abandonar o marido, largar o emprego e fugir correndo para passar uns tempos com a sua amiga Emily em Los Angeles, eu decidi visitá-la. Só para ter certeza de que ela estava bem, entendem? Afinal de contas, ela vinha agindo terrivelmente fora do seu feitio e eu vivia preocupada com ela — a pobrezinha tinha enfrentado muita coisa.

E também, tenho de admitir, sempre tive vontade de ver aquelas letras imensas que formam a palavra "Hollywood" na montanha, e também de dirigir ao longo da Sunset Boulevard num carro conversível prata com a capota arriada e, nos sinais fechados, abaixar meus óculos escuros lentamente para fazer contato olho no olho com o homem que para no carro ao lado e... Enfim, vamos em frente!

Muito bem, no papel de mãe preocupada, eu decidi ir até lá para visitar Margaret. Só que não consigo ir a lugar algum nem fazer coisa alguma sem levar a minha "entourage". Será que eles vão ter tanta pressa para pular e ficar ao lado do meu caixão quando eu morrer? Eu costumo lhes perguntar isso.

O sr. Walsh ir comigo tudo bem, porque ele não perturba nem me causa problemas. Mas Helen, é claro, decidiu que também queria ir. E Anna, que estava começando a transição entre a criatura inútil, malvestida e preguiçosa que era para se tornar um membro respeitado da sociedade, também quis ir. Então, com o coração entristecido, fiz quatro reservas no voo.

O problema é que aquele verão tinha sido uma estação muito úmida na Irlanda. Chuvas torrenciais passaram várias semanas despencando dos céus em baldes. De manhã, de tarde e de noite. Eu tinha esperança de "pegar uma corzinha" antes de chegar a Los Angeles. Não queria saltar do avião com uma cara branco-azulada, parecendo um frasco de leite, como sempre acontece com todos os irlandeses.

Resolvi dar um presente a mim mesma e procurei um bronzeador artificial. Acabei comprando-o na farmácia perto de casa, e acho que esse foi o meu erro. Talvez se eu tivesse ido ao Centro da cidade, até uma daquelas lojas de departamentos, eu me saísse melhor.

Mas não tive essa ideia. O que aconteceu foi o seguinte: na véspera do voo para Los Angeles, passei um pouco do bronzeador falso no rosto e no pescoço — passei muito, na verdade, e dos dois lados, porque um pássaro não voa direito com uma asa só. Enquanto aguardava o resultado, fui fazer outras coisas, porque a espera sempre me deixa nervosa.

Depois de passada uma boa meia hora, fui olhar no espelho e continuava tão pálida quanto leite; não fiquei nem um pouco satisfeita. Mesmo assim, fui assistir a um dos meus programas na tevê para passar o tempo e afastar a mente daquilo, mas, quando tornei a olhar, nada mudara. Nadica de nada. Pode ser, como disse Margaret quando acabamos nos encontrando, que eu tenha entrado em pânico. O fato é que coloquei mais uma camada do produto no rosto. Meia hora depois, passei mais um pouco. É lógico que eles dizem que leva algum tempo para o bronzeado "aparecer", mas não estava acontecendo absolutamente nada e eu não aceitava a possibilidade de descer do avião em Los Angeles como uma caipira alta, pálida como uma vela e com cara de idiota, dessas que acabam de saltar do ônibus vindo do interior.

Antes de ir para a cama, fiz mais uma aplicação do produto. Quando acordei de manhã, eu me sentei na cama, coloquei os óculos e olhei no espelho. Pensei ter visto uma assombração. Eu estava laranja! Laranja mesmo, com aquele tom quase fluorescente de um cone de trânsito. Parecia uma daquelas bolas laranja imensas que as pessoas usam para fazer pilates.

Obviamente eu tinha adquirido uma marca vagabunda de bronzeador instantâneo. Devo admitir que suspeitei desde o início que a marca não era grande coisa e que Jade, a balconista da farmácia (ela *diz* que esse é seu nome verdadeiro) enchia os frascos do produto no quartinho dos fundos do estabelecimento para "empurrar" o troço em cima de pessoas ingênuas como eu.

Bem, agora imaginem o ataque de riso da Helen! Suas gargalhadas provavelmente foram ouvidas em Mulholland Drive. Anna também riu até se fartar. Mas o sr. Walsh, não. Ficou preocupado porque sabia que ninguém conseguiria tirar os olhos de nós no avião. (Até parece que a aparência *dele* era muito melhor que a minha. Durante todo o tempo em que estivemos em Los Angeles ele usou shorts samba-canção, meias três quartos de losangos e sapatos pretos; "sapatos de ir a funerais", é como eu os chamo.)

É claro que eu *nunca* poderia admitir que tinha passado um bronzeador artificial, porque isso estaria demonstrando vaidade. Diante disso, insisti que tinha conseguido aquela cor forte e bonita tomando sol no nosso jardim dos fundos. (Cá entre nós, andava chovendo tanto que, se Noé estivesse vivo, certamente começaria a reunir animais em pares. Além do mais, eu jamais sentaria naquele jardim. Odeio o lugar porque o fio da tevê não chega até lá. O sr. Walsh vive dizendo que vai providenciar uma extensão, mas nunca faz isso; ninguém arruma as coisas nem faz alguma coisa de útil naquela casa, com exceção de mim mesma, é claro.)

Faltou pouco para eu colocar um saco de papel pardo sobre a cabeça durante toda a viagem de avião, e gostaria de ter feito isso porque Helen se divertiu muito apertando o meu botão para chamar a comissária e inventando pedidos do tipo "Dona Sukita precisa de um cobertor para cobrir a cara." Dez minutos depois, ela apertava o botão novamente e, quando a aeromoça aparecia, Helen dizia: "Dona Sukita gostaria de um cálice de vinho para abrandar a vergonha que está sentindo."

Foi Dona Sukita isso, Dona Sukita aquilo, Dona Sukita aquilo outro o tempo inteiro. E o voo para Los Angeles leva doze horas! Foram as doze horas mais longas de toda a minha vida.

ℰ

E de Elefantíase

Vivo com um terror mortal de pegar essa doença. Acho que os pés do paciente incham tanto que não dá nem para o coitado calçar os sapatos. Ele é obrigado a comprar calçados em um número muito maior e, cá entre nós (que essa informação fique entre quatro paredes), eu já calço um número muito alto. Se eu pegar elefantíase, vou ter de encomendar sapatos feitos especialmente para o meu tamanho, e isso vai me custar uma pequena fortuna. Além do mais, pés grandes são pouco femininos.

E também é de Emprego

Antigamente eu tinha um emprego, sabiam? Pouca gente sabe disso.

Aconteceu antes de eu me casar, no tempo em que eu ainda me chamava Mary Maguire, e não Mamãe Walsh.

É claro que tomar conta de uma casa, cuidar de um marido e cinco crianças já representa emprego suficiente para qualquer mulher, mas eu tinha um emprego do tipo *emprego de verdade*. Um trabalho pelo qual eu era *paga*.

Não estou dizendo que eu era presidenta de uma empresa da interweb, nem nada desse tipo, não se empolguem! Era apenas uma funcionária pública de baixo escalão, e tinha de entregar meu salário semanal todas as sextas-feiras na mão de Mamãe Maguire, para depois ela me devolver o suficiente para as passagens de ônibus. Não tinha essa de ir morar num "flat" com duas outras garotas, encher a cara todas as noites da semana, comprar sapatos o tempo todo e sei lá mais o quê. Nada disso.

Das seis irmãs Maguire, Imelda era quem tinha o melhor emprego. Como era a mais "inteligente", conseguiram juntar dinheiro para mandá-la fazer um curso de datilografia e taquigrafia, após o qual ela conseguiu um emprego no aeroporto Shannon. Isso era o mesmo que conseguir um emprego no Paraíso — todo mundo em Limerick queria trabalhar no Shannon, ainda mais com todos aqueles aviões para cima e para baixo, muito *glamour* e a oportunidade de conhecer um piloto.

Depois de algum tempo trabalhando lá, Imelda começou a falar com sotaque americano. Isso era perfeitamente normal, todo mundo que trabalhava no aeroporto Shannon acabava falando assim. Tínhamos muito orgulho dela.

Pois então... Lá estava eu trabalhando no meu empreguinho — e devo dizer que gostava muito da rotina —, embora ele não me exigisse muito do intelecto. Gostava da camaradagem, das brincadeiras entre as colegas e das paródias que fazíamos com Miss McGreevy (nossa supervisora).

Mas logo eu me casei e parei de trabalhar. Não porque quisesse — ou pelo fato de continuar trabalhando não ficasse bem para as outras pessoas —, mas porque a lei irlandesa da época exigia isso. Quem trabalhasse no serviço público, como era o meu caso, era obrigada a se demitir depois que se casava. A ideia era, eu supunha, que, já que a pessoa tinha um homem para cuidar dela, por que razão ela precisaria continuar ganhando o próprio sustento ao mesmo tempo que roubava o emprego de um homem que *realmente precisasse* trabalhar?

As coisas mudaram muito para mim. O sr. Walsh e eu fomos morar num apartamento pequeno, típico de recém-casados. Da noite para o dia eu tinha a minha própria casa e estava longe de Mamãe Maguire — agora eu era senhora dos meus próprios domínios —, mas ficava ali dentro o dia inteiro, todos os dias, olhando para aquelas quatro paredes, enquanto o sr. Walsh ia para o trabalho.

Naquela época, não havia aulas de ioga, nem almoços regados a muita bebida em companhia das amigas. Nem passavam programas na tevê durante o dia. Para piorar, as mulheres que moravam à minha volta não eram exatamente do tipo "uma gargalhada por minuto". Logo depois eu engravidei de Claire e fiquei ocupada demais vomitando dia e noite para me sentir sozinha.

Em algum momento dos anos 1970 — não sei exatamente quando, mas foi um pouquinho depois do restante do mundo —, os movimentos de libertação da mulher começaram a surgir e me comunicaram que eu não deveria ser "uma escrava doméstica". Entretanto — e por nada nesse mundo eu consigo explicar por quê —, as mulheres com o meu perfil viam as feministas com desprezo e desconfiança. Zombávamos delas por serem tão escandalosas, por usarem sandálias Dr. Scholl's e atraírem tanta atenção para si mesmas (o pior dos defeitos; recato e moderação eram nossas palavras de ordem.) "Exibidas" — essa era a nossa terrível avaliação a respeito delas quando discutíamos suas atividades, sempre entre quatro paredes. Obviamente era exatamente isso que os homens da época também diziam a respeito delas, mas é claro que as mulheres tinham opiniões próprias, certo...?

De um modo ou de outro, algum tipo de sementinha foi plantada na minha cabeça por elas, porque eu comecei a sentir falta de... alguma coisa. Algo além de preparar refeições que eram alvo de zombaria, para depois ser esculhambada na cozinha pelas minhas cinco filhas. Acho que esse poderia ter sido o momento em que eu deveria ter voltado atrás e feito um "retreinamento" para o mercado de trabalho, o que quer que essa palavra signifique, mas isso acabou não acontecendo. Mulheres respeitáveis não agiam assim. Era o mesmo que anunciar para todo mundo que seu marido não conseguia sustentar você e a família.

Em uma página de conselhos de uma revista, li a carta de uma mulher que expressava anseios semelhantes aos meus. A “Tia Angústia” sugeriu à mulher que ela conversasse com o seu “conselheiro espiritual” a respeito do assunto. Eu não tinha um “conselheiro espiritual” — até que a ficha caiu e descobri que “Tia Angústia” se referia a um padre. Por que será que ela não usou a palavra certa logo de cara?

Enfim, num sábado à tardinha, esperei para ser a última pessoa na fila do confessionário e, na cabine escura e empoeirada, sussurrei meu pequeno segredo sujo para o padre Anthony: eu gostaria de ter um emprego. Ele retrucou: “Mas você já tem o emprego mais importante que qualquer mulher poderia sonhar: está trabalhando como uma boa mãe.” Subitamente senti uma estranha *compulsão* de dizer: “Ora, que se foda o senhor. Do seu lado está tudo ótimo porque o senhor é homem!” É claro que eu não disse nada disso, ele me deu quinze dezenas do rosário para rezar como penitência pela minha audácia e o momento passou.

Agora é tarde demais, é claro, mas analisando a minha vida em perspectiva, eu teria adorado seguir uma “carreira”. Fazendo o quê, exatamente, eu não tenho ideia. Mas toparia quase qualquer coisa, sério mesmo. Se bem que, pensando melhor, não gostaria muito de ser professora, não sei por quê. Talvez por causa das crianças que eu teria de ensinar... ou por ter de estar muito próxima delas. Não, tenho quase certeza de que não iria gostar disso nem um pouco. Nem de lidar com animais. Também não gostaria de trabalhar com eles.

Mas me agrada a ideia de levantar muito cedo, vestir um terninho preto, pegar meu carro esportivo vermelho, saindo da minha garagem subterrânea e seguindo para uma sessão com meu *personal trainer* antes de ir para o escritório. Gosto da ideia de dar ordens pelo celular no caminho para o trabalho. "Mande um fax para mim com as estatísticas da Finlândia." "Pesquise sobre o arquivo Fenugreek."

Puxa, eu *adoraria* a ideia de despedir pessoas.

Hoje, de vez em quando, quando Helen está muito atolada, ela me permite ajudá-la num caso e, verdade seja dita, eu arregaço as mangas e "caio de boca" com vontade. Ninguém pode colocar defeito na minha ética profissional, embora Helen me diga que eu não exerço "ética profissional" nenhuma, apenas bisbilhotice.

E também é de Envelope Acolchoado com Maravilhas Dentro

Ainda há pouco eu contava para vocês como Anna sempre foi mais inútil que lápis de cor branco. Bem, eu até hoje não sei exatamente como tudo aconteceu, mas o fato é que, em um determinado momento de sua vida, ela conseguiu algum tipo de qualificação e começou a trabalhar para uma companhia de cosméticos "vagabundos" aqui na Irlanda; era relações-públicas da empresa.

Quando menos se esperava, ela e a sua amiga Jacqui se mudaram para Manhattan, e vocês acreditam que Anna conseguiu um belo emprego de relações-públicas na Candy Grrrl!?

Grande parte das atribuições de Anna era enviar amostras de produtos de maquiagem a revistas especializadas e a vários colunistas da área, em busca de "artigos de divulgação" para os novos lançamentos. Só que, às vezes, ela deixava "escorregar" alguns batons, tubinhos de rímel e vidros de esmalte para dentro daqueles envelopes revestidos de plástico-bolha e os mandava para a minha casa. Nossa, juro pelo Senhor, vou contar um segredo para vocês: minhas mãos tremiam tanto de empolgação que eu mal conseguia abri-los.

(Sempre tinha de pegar a tesoura boa porque queria guardar o *envelope* também. Afinal, ele era muito útil, charmoso e de boa qualidade.)

Nunca senti tanto orgulho de Anna quanto nessa época. Tecnicamente *eu sei* que ela estava roubando aqueles cosméticos, e isso é pecado, mas a verdade é que a empresa tinha caixas, caixas e *mais caixas* daqueles produtos no estoque. Uma vez, Rachel foi até o armário em que todas as amostras ficavam guardadas e nos deleitou com histórias tão exageradas sobre a quantidade absurda de produtos estocados ali que todas nós ficamos preocupadas com a possibilidade de ela ter voltado a consumir drogas.

Mas era verdade. Eles tinham toneladas de maquiagem, cremes, perfumes, loções, e dificilmente iriam dar falta de alguns delineadores!

E a coisa ficou ainda melhor. A fábrica para a qual Anna trabalhava — McArthur on The Park — também cuidava da publicidade de várias outras companhias de cosméticos, e ela conseguia fazer "troca-troca" dos produtos dela com os das funcionárias do setor de relações-públicas das outras marcas. Anna lhes enviava um monte de mercadorias da Candy Grrrl e recebia, em troca, uma montanha de produtos da Bergdorf Baby, EarthSource, Visage, Warpo e muitas outras. (Minha marca favorita é a Visage. É francesa. Adoro! A de que eu gosto menos é a Warpo. Ela tem produtos excelentes se você gosta de ficar com cara de palhaça. Eu não gosto.) Continuando... Ela embrulhava os produtos, colocava-os nesses lindos envelopes e os enviava para mim e para as irmãs. Confesso que, quando a campainha da porta tocava e o carteiro me entregava um dos Envelopes Acolchoados com Maravilhas Dentro, muitas vezes, eu sentia uma tontura súbita, de tão empolgada que ficava.

Até mesmo o sr. Walsh entrou na dança. Não que ele use sombra nos olhos ou base — até parece que eu iria aturar um absurdo desses... Por acaso me pareço com Chantelle Houghton, como se costuma dizer? Só sei que houve uma vez em que Anna nos mandou um gel de banho fantástico da Vetiver, mas ele sumiu e nós não conseguimos mais encontrá-lo. Adivinhem onde estava! Na prateleira do sr. Walsh, no armário do banheiro!

Anna Walsh tem o melhor emprego do mundo. O de Helen também é bom, mas o de Anna é melhor.

F

F de "Ferrem-se Todos"

É gostoso dizer "Ferrem-se todos", "Vão se ferrar!", porque "ferrar" é muito diferente daquela outra palavra feia que também começa com F, e que *não cai bem* ficar repetindo por aí. As almas desafortunadas que não são irlandesas muitas vezes pensam que "ferrar" e a outra palavra com F (a feia) são a mesma coisa, e ficam chocadas quando veem uma mulher respeitável como eu pronunciando-a. Mas elas não sabem das coisas. É um mal-entendido "cultural". Eu digo "Vá se ferrar" o tempo todo — quando jogo bridge, na missa, ou quando a situação exige uma exclamação forte, mas é claro que não estou xingando ninguém, nem falando palavrão.

F também é de Funerais

Não sou de "urubuzar" ninguém, mas é agradável saber que já conseguimos viver mais tempo do que muitas pessoas que conhecemos. Além do mais, um funeral é um grande acontecimento: você encontra um monte de gente, bebe uma taça de vinho e come alguma coisinha. Às vezes, oferecem até refeições completas, servidas em mesas. Eu já escolhi as roupas que vou usar no meu funeral. Embora isso só vá acontecer daqui a muitos anos, é claro. O sr. Walsh muitas vezes me diz: "Mary, você vai viver mais tempo que todas as suas amigas." Ele tem razão (pelo menos uma vez na vida). Vou *mesmo* viver mais que elas.

F também é de Felicidade

Não sou dada a "pensar demais" nas coisas que acontecem porque, até onde consigo enxergar, as pessoas que refletem demais e até mesmo "filosofam" sobre a vida são as que mais sofrem à nossa volta. São as mesmas que nunca sorriem nos batizados, não comem sanduíches e, quando você questiona o motivo disso, perguntam: "Qual o sentido de comer sanduíches?" e você responde: "Ora, é importante comer para permanecer vivo." Elas olham para você com desdém e afirmam coisas do tipo: "Veja só você, com os seus sanduíches de presunto, achando que pode enganar a morte. Todos nós vamos morrer." *Além* de sofrerem mais, são mal-educadas. É nisso que você se transforma quando começa a pensar demais nas coisas.

Minha posição no assunto é a seguinte: "Quanto menos a pessoa pensar, melhor." Eu, por exemplo, tento nunca pensar a respeito das coisas, e, se algo acontece por acidente, não fico me alimentando do insucesso.

Felicidade é um assunto muito traiçoeiro. Uma das coisas que eu já notei sobre o mundo moderno é que todas as pessoas acham que têm o direito pleno de serem felizes o tempo inteiro. Acham que a tal Felicidade é a situação padrão da existência, e imaginam que cada um de nós deve fugir de qualquer outro cenário. Julgam que, se uma pessoa não é feliz o tempo todo, é porque está fazendo alguma coisa errada e precisa descobrir um jeito de fazer as coisas certas para conseguir ser feliz o tempo todo, se é que entendem o que estou querendo dizer.

Tenho visto isso a minha vida toda, com as minhas filhas choramingando e sofrendo horrores todas as vezes em que acontece uma tragédia. "Mamãe, eu quero ser feliz"; "Mamãe, eu era *tããão* feliz!"; "Mamãe, quando é que eu vou conseguir ser feliz de novo?" Subitamente começam a culpar a si mesmas. "Mamãe, onde foi que eu errei?"; "Mamãe, não posso acreditar que isso tenha acontecido comigo *de novo*!"; "Mamãe, é porque os meus peitos são pequenos demais?". E a coisa continua, vezes sem fim, até que eu fico com a cara azulada de tanto oferecer apoio e Cornettos.

Quando as coisas dão errado na vida das minhas filhas — e podem acreditar: muitas coisas dão errado na vida de qualquer pessoa —, elas acham que ferraram tudo (na verdade, usam o outro verbo com "f"). Acham que cometeram algum erro terrível e precisam consertar tudo para poderem ser felizes novamente. Acham que precisam trazer de volta o marido fujão. Ou descobrir um jeito de controlar seu vício em drogas. Ou conseguir um emprego melhor. Ou achar uma casa mais bonita. Ou — ah, claro! — ter peitos maiores.

Porém!... Nesse ponto, estendo o dedinho para cima a fim de chamar a atenção de todos, já que sou uma mulher experiente e sábia. Tenho umas coisinhas que devo ressaltar, e aposto que vocês não vão gostar de nenhuma delas.

Verdade Desagradável Número Um: não estamos neste planeta para sermos felizes. Agora, antes que você pule na minha jugular argumentando e dizendo que "a vida não tem nada a ver com aquela baboseira católica sobre ser um vale de lágrimas", quer me escutar com atenção?

O que observei ao longo de muitos e muitos anos de maternidade ativa é que a felicidade vem e vai; é como se fosse uma maré com altas e baixas. A pessoa vivencia maravilhosos períodos de paz quando tudo corre de forma favorável, as filhas estão se comportando bem, levam algum tempo sem fazer a mãe passar por vexames terríveis e tudo na vida está limpo, organizado e em seu devido lugar.

De repente, quando menos se espera, algo cai do céu e estraga a paisagem. Pode ser qualquer coisa — a perda de um emprego, um aborto espontâneo, uma crise de depressão — e, em pouco tempo, sua vida vira uma bagunça, com tudo de pernas para o ar. Nessas horas eu fico chateada — admito que fico, sim! O fato é que me habituei a estar sempre contente e gosto de vida calma. Não me agrada sentir preocupações, incertezas, medos e inseguranças, mas isso tudo vive acontecendo.

Verdade Desagradável Número Dois: nós acreditamos em certas coisas e pessoas e achamos que, se conseguirmos essas "coisas e pessoas", seremos felizes. Por exemplo: ter um marido bonito, perder alguns quilinhos, pagar a fatura completa do cartão de crédito, dirigir um carro com uma caixa de mudança que funcione direito ou usar um sutiã grande.

Não há nada de errado em querer essas coisas — faz parte da natureza humana buscar a felicidade a partir das pessoas e do mundo à nossa volta. Para ser franca, já estou de saco cheio desses "gurus" que afirmam que só se consegue alcançar a felicidade quando ela vem de dentro, porque para eles é fácil buscar a felicidade interior sentadinhos no alto de uma montanha altíssima, vestindo mantos brancos e sem ninguém para perturbá-los. Só que o restante de nós, pobres mortais, tem de viver no mundo "real".

A verdade é que, mesmo que não consigamos evitar procurar a nossa felicidade no mundo à nossa volta, essas pessoas e coisas são sujeitas a erros. Em certas ocasiões — eu diria que em muitas — , elas nos decepcionam. O marido bonitão pode cair fora; a esposa dedicada pode se "apaixonar" por outro homem; você pode perder o peso que sonhava e depois ganhar todos os quilos de volta, mesmo tendo acordado às seis da matina durante nove meses para correr oito quilômetros debaixo de chuva; seu caríssimo implante de silicone no seio pode ficar bastante torto e assimétrico. E nessas horas como é que você está? Exatamente! *Nem um pouco* feliz!

Se alguém me perguntar, acho que nós abordamos essa questão da Felicidade de forma equivocada. Ela não é algo a ser rastreado e caçado como um animal selvagem que precisa ser domado. Um animal que, depois de devidamente domesticado, nunca mais na vida nos trará problemas e, a partir daí, as coisas serão perfeitas para sempre.

Não sei como aconteceu nem quando foi, mas uma vez eu ouvi uma frase dita por Eleanor Roosevelt, uma mulher sobre a qual eu sei pouca coisa, praticamente nada, a não ser que usava roupas diferentes com ar de desespero. Ela disse: “A felicidade não é um objetivo, e sim um produto secundário.”

Eu “saquei” o que ela quis dizer. O que tentava transmitir é que devemos ir em frente com as nossas coisas e rotinas, fazendo o melhor possível a cada momento, ajudando as pessoas, descobrindo prazer e contentamento onde conseguimos encontrá-los e — para mim, isso é o mais importante — sentindo alegria em vivenciar tudo isso. Se assumirmos que “a vida é um vale de lágrimas”, quando alguma coisa boa acontecer — quando ganharmos uma caixa de chocolates

Thorntons, encontrarmos um cardigã pela metade do preço, assistirmos a um capítulo duplo de *Fair City* na tevê —, poderemos saborear o momento e nos sentir gratos.

Minhas filhas acham que eu nunca me sinto infeliz. Pensam que a infelicidade é algo que, ao chegarmos a uma determinada idade mítica, conseguimos deixar para trás. Supõem que tenho uma sabedoria adquirida naturalmente ao longo dos anos e, na condição de pessoa idosa, não tenho nenhum tipo de desejos ou anseios, pois todos eles desapareceram de mim juntamente com a elasticidade da minha pele. Mas serei absolutamente franca com vocês: apesar do consolo da minha fé, às vezes eu me sinto incompleta.

Na maior parte das vezes, estou ocupada demais para perceber isso, graças a Deus. Mas a sensação está sempre lá, como um animalzinho que nos corrói lentamente as entranhas. Mas tenho de conviver com isso, como acontece com todos nós. Não podemos entregar os pontos. Como a minha mãe, a vovó Maguire, costumava dizer: "Não podemos sofrer por causa de tudo." Ao dizer isso, ela me dava uns tapas na orelha e completava: "Levante-se e empine o corpo, sua varapau desengonçada."

Para minha sorte, tenho os meus programas favoritos de tevê, as tortas de banana que adoro, a companhia do sr. Walsh e a certeza de que quando eu morrer irei para o céu...

Embora, às vezes, eu ache esse papo de céu meio difícil de engolir. Mais parece um daqueles contos de fadas que os adultos contam para manter as crianças calmas e distraídas. Cheguei até a tentar conversar sobre isso com o padre Heyward, quando ele voltou de uma de suas viagens missionárias, mas ele me disse que eu não posso permitir que a minha cabeça "me carregue por esse caminho" e me aconselhou a rezar mais para fortalecer a minha fé. De qualquer modo, eu acredito que, quer exista ou não um paraíso, precisamos levar a vida e as nossas coisas em frente da melhor forma que conseguirmos nesse plano terreno.

Essa é a minha "ideia" de Felicidade.

F também é de "Falsas Despedidas"

Isso é uma "coisa" para a qual Anna me alertou — ela consegue ser muito intuitiva em alguns momentos, a minha Anna. Consegue "colocar o dedo na ferida" que nem sabíamos que existia. Em vez de tentar explicar a vocês o que é uma "falsa despedida", vou lhes contar a história que me levou a compreender o conceito.

Tudo começou quando eu e o sr. Walsh fomos visitar Carmel O'Mara. Na verdade, agora ela se chama Carmel Kibble, pois se casou com um rapaz com esse sobrenome. Carmel e eu trabalhamos na mesma empresa, em Limerick, muitos anos atrás. Mesmo depois que eu fui para Dublin, ela continuou a morar em Limerick. Teve três filhos, e a vida parecia estar correndo bem para ela, embora, se vocês querem que eu seja completamente honesta, sempre achei que o marido dela, Podge Kibble, era um sujeito sem sal nenhum, um verdadeiro "peixe morto".

Trocamos cartões de Natal ao longo dos anos, e eu sempre dizia: "No próximo verão, podem contar conosco, pois iremos até Limerick só para visitar vocês." O tempo foi passando, eu sempre envolvida com uma coisa e outra, e a visita não aconteceu até o último mês de maio.

Eu e o sr. Walsh colocamos o pé na estrada para Limerick e encontramos a "Casa Kibble" (é assim que eles se referem à própria residência, por razões que escapam à minha compreensão) com facilidade, pois o sr. Walsh tem um "mapa falante" no seu Mondeo.

Carmel e eu ficamos empolgadíssimas com o reencontro. Fizemos os cálculos e descobrimos que já fazia mais de trinta anos que não nos víamos, e ela me garantiu que eu não mudei nem um pouco. "Você continua fazendo com que todos à sua volta se sintam baixinhos, hahaha!", foi o que ela me disse. Eu, por minha vez, retruquei que ela também não tinha mudado nada, embora isso tenha sido uma espécie de "mentira social", dessas que não ferem ninguém. Para ser absolutamente franca, se ela passasse por mim na rua eu a teria confundido com um sabonete usado, como Claire costuma dizer. Carmel é muito branca, cheia de rugas e rachaduras, além de estar muito redondinha na cintura. Seu cabelo crespo está todo grisalho e muito curto. Por que será que ninguém a aconselha a tingir aquilo, meu Deus?

Bem, a visita foi ótima, especialmente quando ela me mostrou todos os cômodos e eu constatei que a casa dela não era maior que a nossa. Tomamos chá com biscoitos. Dois dos seus netos foram atraídos pelo cheiro dos biscoitos fresquinhos e vieram nos cumprimentar. Eram dois adolescentes com cara de tédio e de poucos amigos, que logo voltaram aos seus "gameboys" enquanto nós, os adultos, dávamos continuidade ao papo.

Ficamos lá por umas boas horas, e eu percebi que o sr. Walsh começou a ficar inquieto e a se remexer ao meu lado. Para ser franca, senti que todos os papos possíveis já haviam se esgotado. Listamos as pessoas da nossa velha "gangue" que já tinham morrido (a informação na qual eu estava mais interessada, é claro) e fiquei me perguntando qual seria o momento mais adequado para irmos embora dali sem parecermos rudes.

Depois de algum tempo, eu me levantei. Todos os demais também se levantaram rápido. Muito rápido *mesmo*. Começamos a ensaiar nossas despedidas, o que levou quase o mesmo tempo que a visita propriamente dita. Os netos com cara de emburrados foram forçados a voltar para se despedir de nós e nos desejarem boa viagem. Carmel não parava de dizer: "Vocês precisam voltar logo", "Não deixem passar tanto tempo para a próxima visita" e "Vê se não some!" (embora eu confesse que nunca compreendi muito bem o significado dessa última expressão).

Eu garantia que "estaríamos de volta quando eles menos esperassem", "da próxima vez vocês é que precisam vir nos visitar, porque agora é mais seguro, já que Helen se mudou" e "Avise fulano, sicrano e beltrano que perguntamos por eles e mandamos lembranças!"

Eu e o sr. Walsh finalmente conseguimos sair para o ar livre e eu curti uma espécie de alívio gigantesco, pois já estava começando a sentir uma estranha sensação de que iríamos ficar trancados naquele "sai-não-sai" por toda a eternidade e mais um dia. Sempre sorrindo, entramos no carro. Sussurrei para o sr. Walsh "tire o pé do acelerador", pois ele já estava pronto para sair dali em disparada.

Carmel e Peixe Morto Kibble estavam parados em pé sob a soleira da porta, sorrindo de forma exagerada, acho que loucos para nos ver pelas costas. Eu também sorria, o sr. Walsh sorria, todos sorriam! (Exceto os netos emburrados, que acabaram voltando para os "gameboys" depois de uma rápida despedida.)

Coloquei o cinto de segurança e senti uma fisgada forte na bochecha, de tanto sorrir, mas finalmente o sr. Walsh colocou o carro em movimento. Abri o vidro da minha janela, coloquei o braço para fora e gritei: "Até logo, foi muito bom rever vocês. Em breve tornaremos a nos encontrar!"

Carmel e Peixe Morto continuavam a acenar demoradamente, sem indícios de que iriam parar. "Até logo... Façam boa viagem... Até a próxima!" Todos acenavam e gritavam mais despedidas enquanto o carro ganhava velocidade, e então (finalmente!) nos colocamos fora do alcance da vista deles, no fim da rua, e eu exclamei: "Puxa, correu tudo bem." E senti exatamente isso. Tudo tinha corrido *muito* bem.

Nesse momento, senti como se meu pescoço tivesse sido apertado por uma garra forte e gélida. Percebi que tinha esquecido a minha bolsa na casa deles.

— Pare o carro! — disse ao sr. Walsh, que tinha os olhos fixos no horizonte e dirigia como um demônio descontrolado, louco para chegar em casa e assistir à partida de golfe.

— O quê?!

— Pare, pare, entre no acostamento — insisti, ao mesmo tempo que pensava: "Preciso da porcaria da bolsa? O que tem nela? Uma carteira com 137 euros, dois cartões de crédito, um cartão de débito, minha carteira de motorista e fotos dos nossos netos. Lá dentro também estão meu celular, meus óculos de leitura, meus óculos de sol, meu escapulário verde, minha relíquia do Padre Pio, os treze batons que Anna me deu, minha caixinha de comprimidos Rennie contra azia, minhas pastilhas Strepsils para dor de garganta, meus comprimidos do coração, meus lencinhos de papel, meus três guarda-chuvas..."

— O quê? — repetiu o sr. Walsh, muito ansioso.

— Minha bolsa. Temos de voltar porque eu a esqueci lá.

— O *quê?* — exclamou ele, pela terceira vez. — Esqueceu lá? Na casa deles? — Olhou em torno do carro, como se tentasse me provar que eu estava enganada.

— Não está aqui — garanti, e comecei a ficar histérica. Também apalpava o espaço em torno de mim e olhava para o banco de trás, mas realmente tinha esquecido minhas porcarias todas lá. — Pare no acostamento, pare logo! — repeti, e foi o que ele fez. Três ou quatro motoristas passaram buzinando com raiva, e eu estava tão revoltada que quase fiz um gesto obsceno para eles.

— Você não pode passar sem essa bolsa? — quis saber o sr. Walsh. Enquanto isso, eu tentava me convencer de que *conseguiria* viver sem nada do que havia lá dentro, *numa boa*.

— Não sei — confessei, hesitante. — Acho que a resposta mais honesta a essa pergunta é "não".

Ele fez cara de quem ia desmaiar de fraqueza.

— Vou ter *mesmo* de voltar lá? — perguntou.

— Vai.

— Mas não vou entrar — avisou. — Vou esperar do lado de fora com o motor ligado. Você entra correndo e... Será que não tem um jeito de você entrar lá sem que eles a vejam? Onde você acha que a deixou?

— Na sala de estar — respondi. — Junto do sofá.

— Não vou entrar — repetiu.

— Você *tem de entrar* — sussurrei. — Senão vai ser falta de educação.

— Não vou entrar — insistiu ele.

— Ah, mas vai *mesmo*! — ameacei.

— Você quer que eu dirija até lá de volta *agora*?

— Quero.

Foi o que ele fez.

Dirigiu calado até a rua dos Kibble. Pela janela da frente deu para vermos seus rostos atônitos. Eles acharam que tinham se livrado de nós numa boa e poderiam comer em paz os biscoitos que tinham sobrado. Antes mesmo de eu saltar do carro, Carmel já estava com a porta da casa aberta.

— Ahn... Oi! — exclamou ela, confusa e quase xingando.

— Dá para acreditar...? — Nesse ponto, eu lancei a cabeça para trás e dei uma gargalhada forçada. — Dá para acreditar que eu esqueci a minha bolsa na sua casa?

— Oh, a sua bolsa? — perguntou ela, e quase quebrou o pescoço ao se virar para dentro de casa subitamente, a fim de procurar a bolsa.

Trouxe o objeto, eu agradeci e disse:

— Bem, até logo mais uma vez, então.

— Até logo! — repetiu ela. — Crianças, crianças! — Começou a chamar os netos emburrados. — Venham se despedir do sr. e da sra. Walsh!

— Que porra eles vieram fazer aqui de volta? — gritou um deles, mas o palavrão foi abafado pelo som dos biscoitos.

— Venham se despedir! — ordenou Carmel.

Nesse ponto, ambos gritaram com a boca cheia de biscoitos:

— Nós *já demos* até logo para eles!

— Até logo, então — disse eu.

— Até logo! — berrou o sr. Walsh, com metade do corpo fora e outra metade dentro do carro.

— Até logo, vão com Deus! — respondeu Carmel.

E lá fomos nós mais uma vez. Só que, por algum motivo estranho, essa despedida não me pareceu tão simpática e agradável quanto a primeira.

Esse, meus amigos, é um exemplo típico de uma Falsa Despedida. Existe um ditado criado por Confúcio, ou outro qualquer desses filósofos, em que ele afirma que é impossível entrar no mesmo rio duas vezes. Embora eu não costume dar atenção a pessoas que dão conselhos, exceto no caso dos padres, devo admitir que esse filósofo tinha razão.

F também é de...

Bem, querem saber de uma coisa? Isso vai fazer vocês rirem. Não consigo pensar em *uma única palavra ou expressão* começada com F que seja relevante na minha vida, além de Funerais, Felicidade, "Falsas Despedidas" e "Ferrem-se Todos". Estou esquentando os miolos aqui, mas não encontro. F serve para "fraldas", é claro, mas vou lhes contar uma coisa importante: meus dias de trocar fraldas estão encerrados. Fiz isso tempo demais durante muitos anos e me recuso a tornar a fazê-lo alguma vez na vida. Se as minhas filhas querem ter filhos é problema delas, desejo-lhes boa sorte na empreitada. É claro que eu sempre tomarei conta das crianças se as minhas filhas quiserem curtir uma "noite especial" com os seus "parceiros". Mas trocar fraldas nunquinha, de jeito nenhum, nem que a vaca tussa. Fico enjoada só de pensar.

G

G de Golfe

O sr. Walsh é um grande entusiasta do golfe. Pratica muito esse "esporte" com os amigos e, quando não está jogando, dedica-se a assistir a todas as partidas na telinha. Mas eu não me importo. Pelo menos agora, que temos duas tevês.

G também é de Guarda-chuvas

Muita gente costuma dizer que a Irlanda seria um lugar adorável se os irlandeses pudessem construir um telhado sobre o país. Estão falando da chuva, não preciso nem dizer, certo? A chuva que não para nunca! Isso deixa muita gente deprimida, e eu costumo dizer que, se os guarda-chuvas não tivessem sido inventados, eu nunca conseguiria sair de casa. Também digo sempre que o homem que inventou o guarda-chuva deveria ser canonizado. (Repararam que eu disse "homem" e não "mulher"? Se Claire me ouvisse falando isso viria para cima de mim "com um monte de pedras na mão"! Ela alega ser feminista, embora esteja longe de se parecer com uma, ainda mais com as saias curtas que usa, o bronzeado artificial e as extensões capilares que vive colocando.)

Gosto muito de um belo e elegante guarda-chuva. Vocês sabem aquelas pessoas que colecionam peças de porcelana Dresden? Ou maridos? Pois bem, os guarda-chuvas são a minha paixão. Na verdade, deixei de comprar os mais bonitos porque, segundo a tal da "lei de Murphy", eu vou esquecer a porcaria do guarda-chuva novo no ônibus na primeira vez que usá-lo. Mesmo assim, eu ganho um monte deles de presente. Quando as pessoas viajam de férias para países estrangeiros, quase sempre me trazem um guarda-chuva novo e diferente. Já montei uma bela coleção deles, a essa altura do campeonato. Quando eu morrer, não me incomodarei se for tudo doado para o museu Victoria & Albert. De graça.

H

H de Hipocondríacos

Nós, da família Walsh, *não somos* hipocondríacos, apesar de o dr. O'Byrne ter afirmado naquela vez em que fomos procurá-lo no meio da madrugada porque Helen estava com um sucrilho entalado na garganta. Simplesmente não temos sorte, apenas isso. "Pegamos" qualquer micróbio que esteja no ar, apesar de eu levar sempre na bolsa um frasquinho daquele gel desinfetante de mão e manter a casa imaculadamente limpa. A culpa não é nossa.

H também é de Homens de Verdade

Tudo bem. Aqui eu preciso respirar muito, *muito* fundo porque tenho um monte de coisas para lhes contar a respeito deles. Os Homens de Verdade são um grupo de rapazes irlandeses que Rachel conheceu em Nova York. Eram cinco, com cabelos compridos, corpulentos, todos vestindo jeans, jeans e mais jeans — com algumas peças em couro. E usam jeans apertados. Em um dia bom — essa é uma expressão de Rachel —, dá para saber até quais deles foram circuncidados. (Pelo amor de Cristo! É realmente *necessário* ela ficar falando essas coisas?)

O nome "Homens de Verdade" foi inventado por ela e por sua amiga Brigit, e originalmente era para ser um insulto, mas não entendo bem por quê. Afinal, ser um homem de verdade nunca sai de moda, ou será que eu estou errada?

Os Homens de Verdade são fãs de "heavy metal" e dizem que a última vez que um bom disco foi lançado aconteceu em 1975 (o álbum *Physical Graffiti*, do Led Zeppelin, se é que isso lhes diz alguma coisa. Para mim essa informação não significa nada. Como eu já expliquei, sou uma garota-Bublé). Durante algum tempo, todos os Homens de Verdade dividiram um apartamento que era conhecido como Central da Testosterona —

embora eles jogassem muito Scrabble, aquele jogo de palavras cruzadas em um tabuleiro de madeira, atividade que não tem muito a ver com "rock'n'roll"!

Os Homens de Verdade se misturam na minha mente como uma espécie de névoa máscula e muito cabeluda, mas vou tentar desembaraçá-los na minha cabeça para conseguir descrever cada um para vocês.

Vamos lá, então... Todos eles são machos-alfa, mas Luke Costello é o "Alfa dos alfas" e vou guardá-lo para o fim.

Joey é o primeiro sobre o qual vou lhes contar. Joey tem cabelos compridos, muito louros, e se parece um pouco com Jon Bon Jovi. Só que os seus cabelos não são louros de verdade; ele passa Sun-In nos fios, mas fica revoltado quando alguém insinua que ele faz isso. Joey é muito mal-humorado e vive fazendo cara de maus bofes. Circula pelos lugares com uma expressão de trovão e tem impulsos que demonstram muita atitude, como na vez em que acendeu um fósforo na parede de tijolinhos do apartamento de Rachel. Também gosta de girar uma cadeira e se sentar do lado errado, apoiando os braços no encosto e mantendo as pernas abertas, sabem como é? Passo a vida morrendo de medo de Joey começar a gritar comigo a qualquer momento por algo insignificante ou tolo.

Apesar do jeito "invocado", Joey costuma embarcar em muitas "aventuras amorosas" (outra expressão que eu acho pavorosa) com as damas. Um monte delas já dormiu com Joey. Helen fez isso como parte do seu programa "coloque o selo de teste e depois dispense". Brigit, amiga de Rachel, também dormiu. Jacqui, amiga de Anna, também foi para a cama com ele... Joey armou uma cilada para Jacqui ao roubar uma das peças dela durante um jogo de Scrabble e escondê-la na parte da frente do seu jeans, pelo lado de dentro. Em seguida, sugeriu que ela enfiasse a mão ali para tentar pescar a peça — e não estava usando cueca! Jacqui fez isso, com a maior cara de pau e a frieza de um pepino. Se o que ouvi é verdadeiro, ela levou um tempão procurando pela peça. A coisa pareceu engatar entre eles, mas logo tudo se transformou num inferno, mas essa já é outra história.

O próximo é Gaz e... como eu poderia descrevê-lo sem levar uma esculhambação de alguém?... Gaz tem um ou dois parafusos a menos, se querem saber a minha opinião. É um rapaz simpático, aparentemente não existe nada de errado com ele. Um pouco gorducho, talvez, mas isso não é crime. O que me preocupa é o fato de ele estar fazendo treinamento para ser acupunturista.

Anda para cima e para baixo com a sua bolsinha de couro cheia de agulhas finíssimas, e, quando alguém fica parado perto dele por mais de dois segundos, ele começa a espetar as tais agulhinhas no desavisado, tentando curá-lo de enfermidades e indisposições que a pessoa nem sabia que tinha. Meu grande receio é que com toda essa falta de noção ele acabe, acidentalmente, rompendo a medula espinhal de alguém ao usar uma das agulhinhas...

Gaz não desfruta do mesmo sucesso de Joey com as figuras do belo sexo oposto. O que é mais engraçado é que, confirmando a curiosa teoria dos seis graus de separação, Gaz certa vez "dormiu" com Claire, muito tempo atrás, antes de qualquer uma das minhas filhas ir morar em Nova York. Isso é "hilário", como diria Helen. "Que mundo pequeno!" é o que *eu* diria.

Agora, deixem que eu lhes conte sobre Shake, o terceiro do grupo. Shake se distingue dos outros por sua habilidade para "tocar uma guitarra invisível". Foi muito bem num campeonato desse tipo e chegou às semifinais, ou algo assim — desculpem por eu não saber os detalhes de cabeça, porque isso não é o tipo de coisa pela qual me interesso.

Shake é dono de uma cabeleira farta, uma considerável massa de pelos, a maior de todo o grupo, sem concorrência. No casamento de Rachel, ele apresentou uma espécie de show, agachando-se até o chão para tocar sua guitarra aérea. O DJ colocou "Smoke on the Water" para tocar e Shake começou a balançar a juba exuberante em grandes círculos enquanto tocava sua guitarra invisível, dedilhando a "região" do... vocês sabem... a parte que fica ao sul do equador. Deus que me perdoe! Para mim, parecia que ele estava se alisando nas partes, ou algo assim, brincando consigo mesmo. Fiquei superenvergonhada, mas não consegui tirar os olhos daquilo...

Quanto a Johnno, o penúltimo membro, não sei muita coisa sobre ele. É um sujeito sossegado e caladão. Não faz muita coisa. Acho que só está ali para completar o quinteto.

Mas Luke... Luke é aquele sobre o qual estou querendo contar desde o início. Luke Costello é o grande destaque entre os Homens de Verdade, o "astro incontestável". Anna costuma dizer que só consegue falar com Luke olhando para o espaço entre as suas pernas. Tenta por todos os meios erguer a cabeça para fitar o rosto dele, mas, por algum motivo, seus olhos são sempre atraídos de volta para a sua "região".

Até no dia do seu casamento, a calça dele estava apertada demais naquele lugar e isso distraiu as pessoas.

Todos ficaram se perguntando como ele conseguia aquilo. Será que mandava fazer as roupas sob medida ou o volume se mostrava avantajado por causa do que havia lá dentro?

Jacqui diz que olhar para Luke a faz suar tanto que ela precisa ingerir sais para reidratação depois de ficar dez minutos na companhia dele.

Quanto a mim, admito que sinto um verdadeiro terror de ficar sozinha com Luke. Ele é tão... Não sei qual é a palavra exata, mas ele me faz sentir... Realmente não sei descrever. Como um animal selvagem, eu acho. Muitas vezes receio perder o controle e atravessar a sala só para dar uma mordida nele. Tenho uma forte suspeita de que nem sempre ele usa roupa de baixo, e, às vezes, fico imaginando como seria ir até ali e... Deixem pra lá, onde é que eu estava mesmo?

I

I de Irmãs

Tenho cinco irmãs, e pode-se dizer que tenho cinco melhores amigas. Somos grandes companheiras, nós seis. Sempre nos demos muito bem umas com as outras, e não existe rivalidade entre nós, nem um pouco. Ficamos empolgadas quando o rebento de uma das outras irmãs se sai bem em alguma coisa, e não ficamos nem um pouco satisfeitas quando o filho ou a filha de uma das outras é pego dando desfalque em seu local de trabalho, se torna um rapaz ou uma moça "alegrinha" ou uma esposa abandonada. Somos grandes parceiras e as melhores companheiras que pode existir.

I também é de Iogurte

Especificamente um Iogurte Natural à Temperatura Ambiente. Um dia, Margaret e suas irmãs estavam brincando sobre o que cada uma delas seria se, em vez de gente, fossem um alimento. Claire seria uma tigela de molho curry, porque ambos são picantes e difíceis de engolir; Rachel seria uma boneca feita de jujuba, não por ser doce, e sim por provocar nas pessoas uma estranha vontade de arrancar a cabeça dela a dentadas; Anna, se me lembro bem, seria uma tigela de flocos de milho; Helen não passaria de uma jaca por ser difícil de engolir, ofensiva e rejeitada em muitos lugares. Para a pobre Margaret escolheram Iogurte Natural à Temperatura Ambiente — o alimento mais sem graça que alguém poderia imaginar.

Mas elas estão erradas a respeito da irmã. Existe mais em Margaret do que os olhos percebem. Sim, reconheço que ela vive dentro das suas posses, mas isso é crime, por acaso? Tudo bem que ela tem até uma caderneta de poupança, mas tudo bem, por que o deboche? Ela não recebeu o "gene de diva" que Claire, Rachel e Helen têm. Quando as coisas saem errado na vida delas, todas entram marchando na minha casa, subindo pelas tamancas, gritam muito e atiram coisas contra a parede (geralmente alguns dos meus belos enfeites). Margaret é diferente. Quando as coisas dão errado em sua vida — e por um bom tempo elas andaram muito erradas, pobrezinha — ela se encolhe em posição fetal e, se as pessoas em volta não estiverem prestando atenção, podem nem notar que há algo estranho com ela.

Em sua defesa, devo acrescentar que ela *também sabe* ser neurótica. Tem uma síndrome — sofre de bulimia de compras. Vou explicar o que é isso: ela compra roupas, depois sofre profundamente por ter gastado tanto dinheiro e se pergunta se não deveria devolver tudo à loja. Às vezes, faz isso, mas tem de preencher um formulário imenso explicando o motivo da devolução e acaba afirmando coisas como "Essa saia jeans faz meus joelhos parecerem estranhos", e a história acaba na administração da loja.

Agora devo admitir que durante muito tempo não gostávamos do marido de Margaret, Garv, porque na primeira noite em que o conhecemos descobrimos que ele era tão pão-duro que não pagava nenhuma rodada de bebida. Como todo mundo na Irlanda sabe, "não pagar nenhuma rodada de bebida" é a pior coisa que pode acontecer a um homem. É mais fácil obter solidariedade do público se você matar alguém. Margaret insiste que Garv tentou pagar, mas, quando ele fazia isso, todos esticavam os braços, gritavam ao mesmo tempo, ordenavam que ele guardasse o dinheiro e que era um insulto ele sugerir que deveria pagar alguma coisa. Garv chegou a ir até o bar quando viu que o sr. Walsh tentava atrair a atenção do *barman*, mas o sr. Walsh foi até lá e o enxotou dali.

É claro que o protocolo determina que Garv deveria ter enxotado o sr. Walsh de volta e pagar as bebidas, ou talvez segurar a cabeça do sr. Walsh debaixo do braço e gritar para o *barman* que aquela rodada seria por conta dele. Só que Garv não fez nada disso. Margaret explicou que ele não se sentiria bem agredindo o futuro sogro. O problema é que ele simplesmente não conhecia as regras do jogo, entendem?

Só que isso pegou muito mal para o rapaz. Durante muito tempo circularam boatos por toda a família de que Garv era tão pão-duro que descascava as laranjas dentro do bolso só para não dividi-las com ninguém; ou que não abria a mão nem para jogar peteca. Mas isso acabou, tudo ficou no passado e gostamos muito dele agora!

Vocês sabem qual o alimento que Margaret é, na realidade? Um iogurte natural, tudo bem, mas com uma generosa camada de fruta no fundo do pote. Ela é o tipo da pessoa que surpreende todos aqueles que a conhecem, podem acreditar nisso.

L

L de Lâmpada

Essa é uma piada envolvendo meu nome. Foi Claire quem me contou. Ela me perguntou: "Quantas Mamães Walsh são necessárias para trocar uma lâmpada?" "Não faço a menor ideia", respondi. Ora, que desaforo! "Quantas Mamães Walsh são necessárias para trocar uma lâmpada?" (Confesso que fiquei toda "prosa" por ter meu nome citado numa piada. Sou uma idiota, mesmo. Deveria ter imaginado que só poderia haver alguma "pegadinha" nessa história. "Nenhuma!", respondeu Claire, e começou a fingir uma voz de velha, meio trêmula, e percebi que aquilo era uma imitação da *minha* voz. "Vocês todas saem para as 'baladas', se divertem até cansar, e eu fico aqui, sentada no escuro."

Eu não me incomodaria com a "zoação", mas isso é muito injusto e falso. Sou uma mulher muito divertida

Podem perguntar a qualquer um: sou a última a sair da pista de dança nos funerais.

L também é de Limpeza

Minha casa é um lugar muito limpo. O sr. Walsh passa aspirador de pó debaixo das camas (*é sério!*), por mais que Helen tente convencê-lo do contrário. Admito, porém, que, quando ajudo na investigação de um caso de pessoa desaparecida em companhia de Helen e precisamos entrar em casas alheias em busca de provas, fico atônita ao constatar o quanto as casas das pessoas são imundas quando elas não estão à espera de visitas. (Também acho isso reconfortante. Tudo bem, podem "meter o pau em mim", como elas dizem.)

L também é de Lesão

Preciso dizer que considero culpa unicamente do sr. Walsh aquela vez em que ele torceu o pescoço na

Splash Mountain, na Disneylândia. Tudo bem que da primeira vez, quando ele foi ao parque com os contadores colegas do trabalho, não sabia de nada. Quando o carrinho em forma de tronco estava se movendo pelo "rio", ele se levantou, como todos os colegas fizeram — foi levado pelo grupo, ficaram instigando uns aos outros como um bando de colegiais —, e vários deles torceram o pescoço. Mas, na segunda vez que ele foi ao brinquedo, já conhecia muito bem os perigos de fazer essa idiotice.

Eu estava com ele e o avisei especificamente para *não fazer aquilo*, mas mesmo assim ele fez. Adivinhem o que aconteceu? Isso mesmo! Ele torceu a porcaria do pescoço novamente e tivemos de perder horas preciosas em Los Angeles tentando encontrar um quiroprático. Sem mencionar o precioso dinheiro das férias que gastamos.

L também é de Lista da Pá

A Lista da Pá é uma invenção absolutamente maravilhosa de Helen. Trata-se de uma lista de todas as coisas e pessoas que ela detesta tanto que gostaria de bater na cara delas com uma pá. Pode ser uma lista de verdade, escrita num pedaço de papel, ou nos smartphones.

Vocês também podem ter os itens escritos em pequenas fichas ou cartões para serem embaralhados à vontade, conforme sua vontade determinar. Ou podem simplesmente manter a lista na cabeça.

Vou lhes dar alguns exemplos de coisas que estão na minha Lista da Pá: os anúncios ridículos da Seguradora Aon; o som de Francesca bebendo Slurpee de canudinho; o fedor da jaula dos elefantes no zoológico; peras duras, especialmente quando o rótulo avisa que elas estão "perfeitamente maduras"; gente velha que para subitamente no supermercado, fazendo com que seu carrinho bata nos calcanhares dela e depois ainda olhe para trás com cara de poucos amigos, como se a culpa fosse sua; Michael, o sujeito que costumava "cuidar" do nosso jardim, mas estragava as plantas todas, e quando o sr. Walsh finalmente o enfrentou ele saiu do emprego e espalhou boatos de que tinha me visto usando um pano de prato sujo para enxugar a alface do sr. Walsh.

Viram só? Não é maravilhosa essa lista? E dá para colocar novos itens nela o tempo todo!

M

M de Mãe

Minha mãe, é claro. Vovó Maguire. Grande mulher, ela era. Tinha opiniões próprias fortes e não se deixava enrolar por ninguém. Amava muito todos os seis rebentos, mas a filha que mais amava era eu, e ela me mostrava esse amor especial escondendo-o dos outros, se é que me entendem.

Quando se referia a Imelda, era sempre: "Vejam Imelda com a linda roupa que conseguiu comprar por um preço excelente." Sobre Audrey, geralmente dizia: "Audrey ainda vai conseguir um belo emprego como arquivista do dr. Boulton, o advogado." Quando o assunto era eu, suas palavras costumavam ser: "Mary, sua molenga inútil, nunca vai conseguir nada na vida."

Ou então: "Mary, é melhor você se acostumar a viver debaixo do meu teto, porque nenhum homem conseguirá olhar para você, alta desse jeito como uma girafa." Era uma espécie de código secreto que tínhamos, para que as outras irmãs não se sentissem diminuídas.

Com seus dentes escuros, um cachimbo sempre pendurado na boca e seu hábito de soltar os cachorros em cima das pessoas, Mamãe era uma figuraça. Mesmo quando já estava muito idosa, ela criava belos cães de caça, e amava tanto aqueles galgos que eles dormiam na cama com ela. (Dormiam tipo *dormiam de verdade* com ela, segundo Helen, mas não liguem para isso porque ela calunia todo mundo.)

Assim que alguém chegava à casa de Mamãe Maguire, ela abria a porta e gritava: "Corra, Gerry! Corra, Martin! Arranquem os olhos deles." (Ela batizara os cães em homenagem a Gerry Adams e Martin McGuinness, políticos irlandeses.)

Eu mal saltava do carro, e os dois borrões velozes vinham na minha direção e me jogavam de encontro à parede, ladrando tão alto que meus tímpanos quase explodiam. Tudo isso era uma tremenda curtição, mas, depois de algum tempo, deixei de levar minhas filhas lá porque elas não eram tão resistentes quanto eu.

Mamãe, é claro, se rolava em convulsões de riso. Tinha muito senso de humor. "Não demonstrem estar apavoradas", avisava ela, batendo com a ponta da bengala no chão enquanto ria sem parar. "Eles conseguem sentir o cheiro do pavor. Farejam o medo no ar."

Nem todas as pessoas enxergavam Mamãe do mesmo jeito que eu. Depois que meu pai faleceu, o sr. Walsh disse — talvez tivesse tomado alguns drinques a mais — que meu pai provavelmente cometera uma espécie de suicídio: convencera o coração a parar de bater. (O mais engraçado dessa história é que a sua própria mãe, vovó Walsh, parecia um demônio. Rosnava para todas as pessoas que tentavam levar seu perfume para fora do quarto. E o único motivo de ser tão agarrada ao perfume, a ponto de apertá-lo contra o corpo com seus dedos que pareciam garras, é que já tinha bebido tudo o que havia para beber em toda a paróquia.)

No tempo em que a minha mãe, vovó Maguire, costumava passar as férias conosco, ela usava a bengala para bater no piso do quarto do andar de cima, para chamar a nossa atenção, geralmente pedindo ajuda para "ir ao banheiro". Enquanto isso, na cozinha do andar de baixo, a filha e as netas disputavam no palitinho quem iria acudi-la. Era uma pequena "brincadeira" entre nós, especialmente quando ela estava sem fazer o "número dois" havia algum tempo. Ah, mas ela era realmente uma figura! Agitava e divertia as nossas vidas. Vocês certamente também sentiriam falta dela, agora que sabem que ela já se foi.

M também é de Mickriarca

Isso significa matriarca irlandesa. É claro que sou uma matriarca. Também é óbvio que sou irlandesa, e as pessoas que nascem na Irlanda são, muitas vezes, chamadas de "Micks". Ou então de "Paddies". Tenho uma leve suspeita de que ser chamada de Mick não é exatamente respeitoso. Não sei se deveria me sentir feliz por ser chamada de Mickriarca. O júri ainda está deliberando sobre o assunto.

M também é de "Mãos de Pluma"

Até onde sei — embora isso não seja um assunto que eu tenha coragem de abordar com ninguém —, sou a única mulher da minha idade e compostura que conhece detalhes sobre o que vou descrever. Nenhuma outra mulher da minha época e com o meu decoro tem de se sentar numa sala junto das filhas e das amigas das filhas para ouvi-las conversar abertamente sobre relações sexuais, com a maior naturalidade, *como se eu não estivesse presente no recinto*. De qualquer modo, eu estando presente ou não, as meninas sempre falam sobre essas coisas e, pelo que consigo perceber, a pior coisa que pode acontecer a um homem é ele ser um sujeito do tipo "Mãos de Pluma".

Foi Jacqui, amiga de Anna, que começou com essa história. Ela conheceu um homem, "foram para a cama" e, em vez de ele "entrar direto no assunto", passou horas e horas passeando com as mãos para cima e para baixo do corpo dela, com a leveza de uma pluma. Dedicou-se a essas carícias infinitas por só Deus sabe quanto tempo, admirando-a com devoção e dizendo-lhe o quanto ela era linda; quando finalmente aproximou-se a hora do "principal evento da noite", ele parou, fitou-a longamente e perguntou se tinha absoluta certeza de que queria ir em frente.

Para mim, um comportamento desse tipo parece lindo e decente. (Especialmente porque um dos outros namorados de Jacqui, um cara chamado Buzz, tentou convencê-la a fazer um *ménage à trois* com uma prostituta.) Mas, ah, não... "Lindo e decente" não foi o que pareceu às jovens da sala. Todas começaram a soltar guinchos de repulsa, exclamando "Eeeca!" e "Que coisa repulsiva!", e eu fiquei muito surpresa, porque normalmente elas reclamam de homens que *não dedicam* tempo algum às "preliminares". ("Ele passou dois segundos girando meus mamilos como se tentasse sintonizar uma estação de rádio e logo depois já estava corcoveando dentro de mim".)

Só sei que, subitamente, os "Mãos de Pluma" se transformaram no Inimigo Público Número Um. É claro que *todas nós* gostamos de ser jogadas na cama com violência, de ter as roupas arrancadas com sofreguidão, de ser levadas ao Paraíso e trazidas de volta em poucos segundos de frenesi, mas isso nunca acontece na vida real, certo? Devemos aceitar o que nos é dado, não é verdade? Nada é perfeito, concordam?

A partir daí, as meninas começaram a expandir as características do que seria um homem do tipo "Mãos de Pluma". Conforme expliquei, tudo começou com o pobrezinho que acariciou Jacqui como se tivesse plumas nos dedos, mas logo o conceito se estendeu para áreas de atuação inesperadas, incluindo outros tipos de homem que, de repente, nunca acariciaram uma mulher com delicadeza.

De uma hora para outra, qualquer homem se tornava um "Mãos de Pluma" até mesmo por pequenas transgressões. Homens que não comem carne de carneiro? Mãos de Pluma! Homens que carregam mochilas usando as duas alças, em vez de uma só? Mãos de Pluma! Homens que olham para doces e bolos em vitrines de confeitarias? Mãos de Pluma! Homens que praticam um exercício de dança chamado "Cinco ritmos"? (Sei lá que diabo é isso.) Mãos de Pluma do tipo *extremo*! (Suponho que essa seja uma categoria ainda menos desejável que foi criada só para eles.) Homens que arrumam almofadas sobre o sofá de forma perfeitamente alinhadas? Mãos de Pluma! Homens que usam a expressão "gêneros alimentícios"; que pronunciam a palavra *croissant* com sotaque francês; homens que já se encontraram com o Dalai Lama; homens que comem sorvete de casquinha caminhando pela rua; homens que gostam de *Downton Abbey*; homens que preparam pão, mas também homens que não comem pão; homens que ligam para a mãe todos os domingos; homens que plantam manjericão num vasinho sobre o peitoril da janela; homens que mantêm amizade com ex-esposas; homens que chegam perto de você com um pedacinho de queijo na ponta de uma faca e dizem: "Prove só e veja que delícia"; homens que dizem: "Puxa, isso é muito triste", quando aparece a notícia de um menino de cinco anos que morreu num incêndio; homens que não sabem nadar; homens que vão fazer prova para carteira de motorista e passam logo na primeira vez; homens que não têm cabos para ligar uma bateria de carro à outra; homens que foram reprovados mais de três vezes na prova para carteira de motorista; homens que têm cartão fidelidade da "Holland & Barratt" (aquela loja de comidas naturais e alimentação saudável); homens que dizem: "Acorde e brilhe", quando o dia está ensolarado... Cada um desses pobres coitados são amaldiçoados sob o rótulo "Mãos de Pluma".

A lista continua a aumentar todas as semanas, e algumas das restrições me parecem absurdas — juro por tudo que é mais sagrado que não consigo imaginar o motivo de um homem que pede um coquetel de frutas ser rotulado de "Mãos de Pluma". Eu, pessoalmente, não aprecio muito ver homens usando casaquinhos de lã, mas nem por isso sugiro que as meninas incluam isso na lista. Certamente elas o fariam com prazer, mas por que arruinar a reputação de um homem? Aliás, a reputação de uma legião de homens?

N

N de Netos

Como acontece com todas as minhas amigas do jogo de bridge, meus netos são motivo de orgulho, fonte de alegrias e adoram a avó deles (eu). Kate foi a primeira e, naturalmente, eu fiquei transbordando de alegria, em especial por eu ter vencido Maisie Boylan e Terrie Hand na "corrida para ver quem seria avó primeiro". (No interesse da honestidade e da transparência completas, devo mencionar que não fui, tecnicamente, a primeira do grupo, pois a filha de Honour Carrig teve um menino quando tinha dezesseis anos e ainda frequentava a escola. Como vocês provavelmente já devem ter imaginado, também era solteira e, por isso, não conta. Honour Carrig é objeto de nossa pena, e não de inveja, especialmente depois que a filha se mandou para a Austrália — de tantos lugares distantes ela foi escolher o mais longínquo deles, pode isso!? — e deixou o bebê para ser criado por Honour.)

Para encurtar a história, foram momentos tensos esses, os da espera de quem dentre nós iria ser a primeira a dar a largada na "corrida das avós", e Claire me fez esse obséquio ao engravidar. Ela não costuma ser obsequiosa nem prestativa, mas, enfim... Só que o casamento dela foi para a cucuia, e a inveja de Maisie e Terrie diminuiu um pouco — vocês conhecem aquela cara de "pena fingida" que as pessoas fazem? Dá vontade de vomitar, mas eu mantive a pose. É importante aguentar firme para não deixar a peteca cair.

Fico feliz por poder contar que Kate cresceu e se tornou uma jovem linda com uma cabeça determinada, cheia de ideias próprias. (Cá entre nós, ela é um pesadelo, do mesmo jeito que Helen com a idade dela. Costuma dizer que somos "patéticos" e "bundões"; às vezes, somos "bundões patéticos". Kate já fumava aos doze anos, mas não eram os cigarros comuns, desses que as pessoas compram num maço, e sim aqueles que o fumante enrola na hora, pegando o tabaco dentro de uma bolsinha estilosa. Só sei que ela vivia derrubando fragmentos de tabaco no meu tapete bom que acabara de ser aspirado pelo sr. Walsh.) Se vocês querem que eu seja franca, o que Kate precisa é de uma boa surra. Algumas pancadas com uma colher de pau não lhe fariam nada mal. Mas não se pode dizer uma coisa dessas hoje em dia. Em breve, não poderemos falar *mais nada*. Teremos de nos comunicar por meio de piscadelas, como o homem daquele livro fazia.

Claire teve mais dois filhos. O primeiro foi um menino chamado Luka, que era a coisinha mais linda do mundo, mas agora ficou adolescente e vive ocupado "cuidando da própria vida". Também veio outra menina, Francesca, que está com onze anos.

Devo confessar que me alegra o coração ver uma criança tão confiante. Imaginem que ela sempre me aparece tagarelando coisas sem parar, como se eu não conhecesse nada da vida. "Vovó, você deveria reciclar essa caixa vazia de cereais"; "Blusa nova, vovó? De quantas blusas uma mulher idosa precisa para viver?"

Quando me vê lavando alface em um escorredor de macarrão para a salada do sr. Walsh, começa a vomitar regras do tipo "Precisamos economizar água, vovó." "Precisamos economizar água?", eu geralmente respondo. "*Aqui* na Irlanda? Onde os terrenos são tão encharcados que deveriam ser vendidos com base no número de galões, em vez de hectares?" "Claro!", garante ela, muito metida a esperta, e passa a despejar na minha cabeça um monte de lero-leros sobre o nosso planeta, os custos elevadíssimos da purificação da água e outras abobrinhas idiotas que enchem o meu saco! (É aceitável que uma senhora empregue essa expressão? Helen a usa o tempo todo, mas não sei até que ponto é vulgar.) Já disse várias vezes e repito: não há necessidade de economizar água na Irlanda; isso é a mania do "politicamente correto" que enlouqueceu.

Às vezes, quando estou com Francesca, a palma da minha mão arde de vontade de lhe dar uns tabefes bem dados, e nessas horas eu preciso passar o braço sobre o ombro dela para fazer a ardência passar. Quando isso não dá certo, eu aviso que preciso atender a um chamado urgente da natureza e saio da sala.

Margaret e Paul (ou "Garv", como todos parecem chamá-lo ultimamente) têm dois filhos. Um menino de nove anos chamado JJ e uma garotinha de seis anos e meio chamada Holly. JJ é uma alma linda, jovem e adorável (cá entre nós, é muito estranho... *Esquisitaço* é a palavra mais moderna, pelo que ouço por aí). Vive assistindo *A noviça rebelde* e pensa que é Liesl no caramanchão. Fica girando pela sala com um diadema na cabeça, quebrando meus adorados porta-retratos de porcelana Belleek, que eu tive de recomprar depois que seu primo Luka destruiu o primeiro conjunto atropelando tudo com um velocípede, como se fosse um tanque.

Um dia, eu estava tomando conta de JJ, e não é que, para minha tristeza, encontramos Mona Hopkins por acaso? "Este é JJ", apresentei, empurrando-o para frente e rezando baixinho para ele não me fazer passar vexame.

"Ooh", reagiu Mona, analisando demoradamente o nosso rapazinho com suas unhas pintadas de azul-marinho, sua bandana de crochê feita à mão e a velha camiseta de sua mãe onde se lê "Meninos são uma peste". "Acho que você vai arrasar os corações das meninas quando ficar mais velho. O que pretende ser quando crescer?", quis saber Mona.

"Darcey Bussell", respondeu JJ sem pestanejar, referindo-se à famosa primeira bailarina do Royal Ballet.

"Nada disso", retruquei muito depressa, e estive a um passo *minúsculo* de lhe dar um tapão bem dado, daqueles de arrancar a cabeça fora. "Você quer ser um caminhoneiro, lembra? Ou um caubói. É isso que ele *quer*, sim", garanti, olhando para Mona Hopkins com ar de quem quase implora, vocês sabem como é...?

"Já terminamos de conversar com essa velha?", perguntou JJ. "Quero dar alguns pinotes por aí e depois ficar imaginando um monte de coisas."

Holly também é terrível, mas de um jeito diferente. Uma boneca miúda e tímida, muito limpa, sempre arrumadinha e apavorada com a própria sombra. Um porre! Um porre de vinho, que é o pior deles. É impossível se divertir com essa menina. Teve um dia em que eu fiquei tomando conta dela e sugeri que fôssemos ao jardim zoologico, mas ela me explicou, com sua vozinha muito sussurrada, que morria de medo dos macacos. Depois completou: "Pode ser que também haja meninos lá no zoológico!" Colocou a mãozinha no peito e explicou: "Eu *não vou aguentar* se tiver algum menino por lá!" Ora, mas pelo amor do meu Santo Jesus Cristinho! O que a fez achar que *eu* estava com vontade de ir ao zoológico? Eu *não suporto* ir ao zoológico! O fedor da jaula dos elefantes gruda em mim durante muitos meses cada vez que eu vou lá.

Nesse ponto, eu perguntei: "Muito bem, o que quer fazer, onde deseja ir, então? Basta me dizer e nós vamos." Ela baixou a cabeça, grudou os olhos no seu lindo vestidinho e começou a balançar o corpo para frente e para trás, obviamente reunindo coragem para fazer o pedido. Subitamente eu percebi onde ela queria ir e me deu um frio na espinha. Mais que depressa, avisei: "Eu não vou à Claire's! Não volto lá tão cedo! Não aguentaria todas aquelas... quinquilharias." Na última vez em que estivemos na Claire's, a famosa loja de acessórios femininos, não sei o que deu em mim, mas foi como se todos os brinquinhos, piranhas para cabelos e lacinhos purpurinados começassem a se empilhar à minha volta falando muito alto ao mesmo tempo e esticando as presilhas, como se tentassem me beliscar; senti uma fraqueza estranha e achei que estava prestes a desmaiar. A atendente me fez sentar numa cadeira como se eu fosse uma pessoa idosa! Foi muito humilhante e não vou me sujeitar novamente a essa experiência.

Em vez disso, levei Holly à Bodies, uma exposição sobre o corpo humano. Maisie Boylan visitou o lugar quando recebeu parentes vindos do Canadá e me disse que tudo era simplesmente maravilhoso. Confesso que fiquei curiosa para ver o motivo de tamanha empolgação, mas devo admitir que senti um pequeno desapontamento. Era como estar dentro de um açougue, e uma ou duas vezes eu tive de engolir em seco com medo de vomitar. Nada disso, porém, se compara às reações de Holly. Tudo era "Ewww", "Eeeca", ou então era rotulado como "coisa nojenta". Quando chegamos à parte do intestino delgado, ela começou a chorar e pediu para ir embora para casa.

"*Shhh*, quer parar com essa frescura, pelo amor de Deus?", pedi. "Tem um monte de gente olhando."

Só que ela não parou e, no fim, tive de levá-la embora dali. Para piorar a situação, eles não me devolveram o dinheiro da entrada. É claro que, considerando o desconto para pessoas da terceira idade, o meu prejuízo não foi muito alto, mas mesmo assim achei tudo um *tremendo desperdício de dinheiro.*

Depois do tombo veio o coice, é claro! Quando chegamos em casa, levei uma tremenda esculhambação de Margaret. "Onde é que a senhora estava com a cabeça quando resolveu levar a pobrezinha para ver aquelas coisas horrorosas? Por que simplesmente não foi com ela à Monsoon e lhe comprou um elástico para o cabelo? Agora ela não vai dormir durante uma semana!"

Eu ouvi tudo calada, me mantive firme e forte. Comportei-me com dignidade, mas jurei para mim mesma ali, naquele instante, que aquela pentelhinha chata poderia esperar sentada se achava que alguma vez eu tornaria a levá-la a algum outro lugar. Esperei o momento da vingança até que, no Natal, surgiu uma oportunidade excelente: ela implorou que eu a levasse para assistir ao *Gato de botas.*

— Por favor, vovó, por favor!

— Mas e se você achar que o gato é assustador? — perguntei, com sarcasmo me escorrendo pelo canto da boca, mas mantendo o ar bondoso.

— Não vou achar, não, juro que não — prometeu ela, com ar de súplica.

— Nada disso, o filme pode traumatizar você — expliquei. — É melhor não arriscarmos.

Rárárá!

Rachel e Luke (um dos Homens de Verdade, lembram?) têm um filho também, que já completou dois anos. Eles o batizaram de Moses. (Fiquei indignada, mas esse é um tipo de bizarrice muito comum no Brooklyn, segundo me informaram. Quando as minhas companheiras do jogo de bridge, no clube, me perguntaram o nome dele, eu respondi, mais que depressa: "Mike. Michael Patrick." Estou pouco me lixando para a mentira, o que não quero é virar motivo de piada entre as amigas.) Mas vamos em frente... Apesar do nome pavoroso, Moses é um menino muito bonito, calmo e controlado — puxou tudo isso do pai.

Anna e o homem que está ao seu lado ainda não deram início à "prole". Eu bem que gostaria que ela esperasse um pouco mais, pelo menos até ter uma aliança de casada no dedo antes de partir para essa nova etapa, mas ninguém se preocupa com a minha opinião.

Helen jura que nunca vai querer ter filhos. Cá entre nós, isso é um tremendo alívio para mim.

R

R de Raios X

Teve uma vez em que Anna quebrou um dedo. (Quebrou onde?, ouço vocês perguntando. Foi em um acidente de esqui? Caiu dentro do ônibus quando estava bêbada? A resposta é: Nada disso. Quebrou o dedo enquanto procurava, muito agitada, dentro do guarda-roupa, seus sapatos azuis.)

Agora eu pergunto: que tipo de história ridícula é essa? Eu lhe sugeri que ela enfeitasse o pavão, e agora ela conta que o acidente aconteceu quando ela prendeu o dedo numa porta giratória.

E lá foi ela para o hospital. Tiraram raios X de diferentes ângulos e descobriram que o dedo estava mesmo quebrado. Então, eles o imobilizaram e a mandaram para casa. Mas também lhe entregaram os raios X — não me *perguntem* por quê! — e Anna se empolgou muito com aquilo. Passava um tempão erguendo as imagens dos raios X e admirando-os contra a luz, olhando cada detalhe muito de perto, juntinho dos olhos, para depois afastar a chapa até onde o braço alcançava.

Quando menos se esperava, o amor da sua vida mandou emoldurar as chapas e pendurou-as na parede numa caixa especial com iluminação própria, como se fosse a *Mona Lisa*. Quando as pessoas visitavam seu lindo apartamento, dava para vê-las olhando em torno com ar de admiração, balançando a cabeça com satisfação diante dos vasos de plantas e almofadões, mas logo depois davam de cara com os raios X pendurados na parede, se espantavam e olhavam duas vezes para ver se aquilo era verdade, como se pensassem "Que diabo é isso, *em nome de tudo que é mais sagrado*? Arte? É uma peça de arte, aquilo ali? Não existe outra possibilidade. O que mais poderia ser?"

S

S de Salame

Como na frase "É o mesmo que enfiar um salame na sua Avenida O'Connell", uma expressão vulgar e nojenta que Claire utiliza para descrever um ato íntimo executado poucos dias depois de uma mulher ter dado à luz.

T

T de Televisão

A família Walsh não seria tão feliz quanto é se não fosse por nossa amiga, a telinha. Esse aparelho é um grande fator de ligação e confraternização em nossa família.

T também é de Trabalho

Estou falando de trabalho "feito" em alguém. O mais interessante é que existem dois tipos diferentes de trabalho que podem ser feitos numa pessoa. Você pode se submeter ao trabalho que Claire fez consigo mesma:

aplicou botox em torno dos olhos e nos cantos da boca para fazê-la sorrir sempre. (Segundo ela diz — e estou repetindo literalmente suas palavras: "Com a vida de merda que eu levo, que motivos teria para sorrir?") Também aplicou ácido hialurônico para preencher os vincos da fronte e não parecer que franze o cenho o tempo todo ("Com a vida de merda que eu levo, tenho tantas preocupações que fico franzindo a testa vinte e quatro horas por dia!") e injeções de colágeno nas bochechas para lhe dar um rosto rechonchudo, típico de jovens. ("Com a vida de merda que eu levo, é de espantar que eu esteja parecendo tão velha antes do tempo?")

(Eu nunca diria isso na frente da minha filha porque ela voaria em cima de mim, mas Claire não me parece levar uma vida "de merda" coisíssima nenhuma. Ela se considera a esponja da pia da casa de praia, mas tem o Adam dela, que a julga perfeita e a considera a última gota de xampu do sábado à noite. Eles têm uma bela casa, ela está sempre fazendo "luzes" nos cabelos, oferece churrascos, recebe amigos em festas e bebe até ficar pra lá de Marrakech.)

Mas voltemos ao Botox & Cia... Embora eu adore o aspecto de pessoas que parecem extraordinariamente jovens, especialmente considerando a vida de preocupações que eu tive para criar cinco filhas, não diria "jamais" diante da ideia de me submeter a esse tipo de tratamento ou "trabalho". Mas não farei até precisar disso, é claro. Quando ouço falar de meninas de vinte e três anos fazendo tratamentos "estéticos", sempre me pergunto "Por que tão cedo?" e penso a mesma coisa sobre "trabalhos" em mim mesma.

O segundo tipo é o "trabalho" que Rachel fez consigo mesma, e esse é um tipo de "tratamento" completamente diferente. É a tal da terapia de cabeça, com psicólogos, "conversas que curam" e coisas do gênero. O resultado disso é que a pessoa não pode nem mesmo coçar o queixo porque Rachel logo identifica algum problema nela.

Essa história de psicoterapia é papo furado. Não existe nada nesse *mundão de Deus* que me faça confiar no sigilo e na suposta "matraca fechada" que os psicólogos devem manter. Algumas taças de vinho num jantar ou numa festa, e logo eles estão divertindo todo mundo à volta com histórias "secretas" de seus clientes — casos extraconjugais, abortos, travestismo, incesto, furtos em lojas e qualquer coisa esquisita que lembrem na hora.

Não culpo esses profissionais. No fundo do coração, sei que eu também faria a mesma coisa se fosse um deles.

Faz parte da natureza humana, certo? Quando a pessoa ouve algum segredo cabeludo, como pode resistir à tentação de espalhá-lo aos quatro ventos? É o mesmo que comer batatas Pringles: é impossível se controlar.

(Salvo no caso dos padres, é claro. Padres são diferentes. O que quer que eles ouçam nos limites do confessionário morre ali. São abençoados pela capacidade divina de manter a matraca fechada.)

Imaginem se um desses terapeutas passar por dificuldades financeiras! Aposto que vão procurar o tabloide de fofocas que pagar mais pelos segredos que têm para contar.

Eu jamais me consultaria com um desses profissionais. Mesmo que tivesse algum "problema". Coisa que eu não tenho. Problemas...! Isso tudo e um monte de baboseiras para enganar os otários, e dá para a pessoa comprar uma saia nova toda semana com a grana que os terapeutas cobram por sessão.

Nessa área de atuação, eles fazem um grande alarde com coisas como "virar a página", por exemplo. Todo mundo precisa "virar a página" para alguma coisa, hoje em dia. Quando você quebra uma xícara, tem que virar a página e esquecer. Se perdeu o ônibus, não adianta chorar... "vire a página". Se você está lendo um livro e é necessário ir em frente... "vire a página" (isso foi só uma pequena piada, hehe).

Na minha época, não havia essa história de "virar a página". Quando algo "ruim" acontecia... Digamos, um homem "se expunha" para você dentro do ônibus, ou você sentia algo esquisito na cabeça e começava a correr em torno da casa no meio da noite, gritando em desespero e anunciando a todo mundo que não aguentava mais viver, o padre Cormac era convocado na mesma hora para fazer uma "reza" na sua testa e os problemas acabavam.

É claro que isso não fazia a mínima diferença. As corridas desesperadas em volta da casa e os gritos histéricos continuavam, mas todo mundo os ignorava. "Virar a página" uma ova!

U

U de Útil

Isso nos traz finalmente ao meu marido, Jack Walsh. Ao contrário das minhas filhas, eu não fiz nenhum *test drive* antes de me casar. Também nunca fui a preferida dos rapazes. É claro que tive muitos admiradores, mas eles se espantavam tanto comigo que se mantinham distantes. Tenho a impressão de que era a minha altura elevada que os afugentava. Mas também não sou assim *tããão* alta. Minha altura é um metro e setenta e oito, mais ou menos. O problema é que as pessoas geralmente eram mais baixas antigamente, e é preciso um homem grande para se sentir feliz ao lado de uma mulher alta. (Estou dizendo "grande" de forma metafórica, entendam, só para esclarecer melhor.)

O sr. Walsh e eu nos conhecemos sob circunstâncias absolutamente banais. Ele era originário de uma aldeia rural em County Clare e veio morar e trabalhar na "industrializada" Limerick, onde fui criada. Ficava "hospedado" em uma casa em frente à nossa, do outro lado da rua. Eu e ele costumávamos pegar o mesmo ônibus para o trabalho, mais ou menos na mesma hora, todos os dias.

Naqueles tempos, as pessoas eram muito mais amigáveis que hoje em dia. Ninguém simplesmente "ignorava" as pessoas no ponto de ônibus, enfiando aqueles troços minúsculos nos ouvidos e balançando a cabeça para si mesmo. Na pior das hipóteses, a pessoa comentava: "Que lindo dia, graças a Deus." Quando o tempo não estava muito bom, como geralmente acontecia, costumava-se dizer: "Até que a temperatura está moderada, graças a Deus." Ou então: "Pelo menos, não está chovendo." Se *estivesse* chovendo, como geralmente estava, era costume dizer: "Belo dia para a natureza, essa chuva é ótima para as colheitas."

Nos fins de semana o sr. Walsh costumava ir para casa, onde ficava com a mãe ligeiramente amalucada e sua família composta por idiotas de diversos tipos. Em uma determinada segunda-feira, no ponto de ônibus, vocês acreditam que ele me ofereceu um pacote embrulhado em papel de pão e amarrado com uma cordinha? "O que é isso?", perguntei. "Ah, não é nada de especial", respondeu ele. Mas era, sim! Era um frango caipira muito bem assado, tostadinho e deliciosamente cheiroso. Mamãe ficou encantada comigo e disse que talvez eu não fosse apenas o varapau comprido e inútil que ela acreditava. (Era realmente uma figuraça, a mamãe.)

Todo fim de semana depois dessa primeira vez, ele me trazia alguma coisa de casa; às vezes, eram ovos frescos, um pedaço de presunto e, antes mesmo que eu percebesse, tínhamos uma espécie de "compromisso". Mas vejam bem... a coisa mais engraçada quando se trata de "compromissos" desse tipo é que nada era falado abertamente. Para uma nação tão tagarela, nós, os irlandeses, somos muito "fechados" quando se trata de coisas importantes. No entanto, mesmo sem ficar nada formalizado nem oficializado, Jack Walsh e eu começamos a "sair juntos" e ele passou a me "fazer a corte", como se dizia naquela época, e logo isso se solidificou e se tornou mais constante.

Todas as quartas-feiras à noite íamos ao cinema, e naquela época não interessava que filme estava passando, as pessoas simplesmente iam assistir. Não havia críticas nos jornais nem frases do tipo "Essa Bette Davis que se dane, porque o último filme que ela fez foi uma verdadeira m*rda." Podia ser um faroeste, um musical, um filme romântico — as pessoas assistiam ao que estava em cartaz nos cinemas e ficavam felizes com isso. O sr. Walsh costumava me comprar uma caixinha de caramelos Cleeves, que sempre comíamos juntos.

Também havia bailes, mas não era como hoje em dia, quando você pode ir a boates em qualquer noite da semana, e às vezes vai a duas ou três diferentes na mesma noite. Eu tenho uma leve lembrança ou ideia — não me levem ao pé da letra porque posso estar enganada — que as noites de dança não podiam acontecer aos sábados noite adentro porque infringiriam as leis que determinavam "nada de diversão aos domingos". Até onde eu lembro, as danças sempre aconteciam às sextas-feiras, e eram momentos maravilhosos.

Havia uma pequena orquestra tocando com muita garra e sentimento, as pessoas dançavam até se acabar, e o hino nacional era executado no fim da noite. (Agora que estou pensando no assunto, tocavam o hino no fim dos filmes também. As luzes se acendiam e todo mundo se remexia nas cadeiras para se levantar correndo. Quem estava aprontando alguma "coisa suja" durante a exibição da "película" era obrigado a se arrumar e se recompor rapidinho, senão o cinema todo ficava olhando para a pessoa. Não que eu tenha passado por isso alguma vez, é claro.)

Estava implícito que, quando Jack conseguisse economizar dinheiro suficiente para dar entrada numa casa, ele me pediria em casamento. E como mamãe dizia: "Se ele propuser casamento a você, diga 'sim' sem pensar duas vezes, minha filha; ele é a melhor oportunidade que você vai ter na vida. A *única* oportunidade." Mas é claro que eu iria dizer que sim. Eu gostava muito — e ainda gosto — de Jack Walsh. Ele é um homem sossegado, muito fácil de se conviver, e provavelmente foi melhor que tenha sido assim. Especialmente porque "floresci para a vida" depois que deixei de morar com a minha mãe. Sou boa de papo e grande contadora de casos — vocês precisavam ver a recepção que fizeram para mim em Los Angeles! Fui até convidada para participar da reunião dos contadores de histórias na casa do vizinho de Emily, amiga de Margaret. Não é para me gabar, não, mas eu roubei os holofotes naquela noite! Eles me adoraram e curtiram muito a história do famoso Seamus e de como ele conquistou o amor da filha do médico!

O sr. Walsh e eu estamos casados há quarenta e sete anos, e vocês querem saber de uma coisa?... Embora eu seja mais alta que ele, somos muito felizes juntos. Se deixarmos as filhas fora dessa história, é claro. Porque elas nos trouxeram muita *in*felicidade. Quer dizer, só de vez em quando, sempre que aprontavam alguma coisa séria ou preocupante. Era uma espécie de corrida de revezamento! No momento em que uma delas encerrava sua fase de sofrimentos e idiotices completas, outra começava. Havia pouquíssimos momentos de trégua para nós, os pais. Para ser honesta com vocês, se não fosse por Margaret, que era muito bem-comportada, hoje em dia eu estaria internada num manicômio.

Dá para ver vocês tentando fazer as contas aí, pensando: "Se ela já está casada há quarenta e sete anos e devia ter vinte e tantos, pelo menos, quando conseguiu colocar uma aliança no dedo, que idade terá agora?" Pois bem, vou lhes dizer uma coisa importante: uma verdadeira dama (e eu sou uma) não divulga sua idade, mas também vou lhes contar um segredo: eu envelheci muito bem.

Fui absolutamente fiel ao sr. Walsh durante todo esse tempo, e ele também foi completamente fiel a mim. Eu "perceberia" se ele não tivesse sido. Minha intuição feminina me alertaria sobre isso. Além do mais, eu fico de olho atento nas coisas — marcas de batom no colarinho da camisa, o perfume de outra mulher —, mas ele nunca me decepcionou. É claro que aconteceu um incidente desagradável alguns anos atrás, quando a "ex" dele apareceu do nada. Nan O'Shea. É a mulher que ele "largou" quando se apaixonou por mim. Ela voltou, entrou em nossas vidas e perguntou se eles poderiam ser amigos, mas eu vetei essa aspiração com muita alegria e cortei as asinhas dela pela raiz. Amigos! Será que ela pensa que eu sou idiota?

V

V de "Os Gays"

Sei que não é elegante usar a palavra que começa com V. (Essa confusão com palavras que podem e que não podem é uma coisa que me deixa tão enrolada que eu não consigo acompanhar. Agora *não se pode mais usar* a famosa palavra com V, mesmo que seja para descrever algo tão esquisito e inquietante. E *também não se pode usar* a palavra perfeita para o pobre diabo que "não bate bem da cabeça". Não se pode mais usar palavra alguma, em nenhum momento, nunca, sobre nada. Eu me recordo do tempo em que, na minha língua, "gay" era uma palavra que transmitia alegria, era saltitante e *exuberante*, mas agora adquiriu "conotações" completamente diferentes.)

O termo que usamos em nossa família para "Os Gays" é Rapazes Alegrinhos. É que Helen trabalhou, certa vez, com um sujeito indiano que, num trabalho, traduziu de forma equivocada a palavra "gays" por "rapazes alegrinhos". Depois que nos acabamos de rir dele, decidimos adotar a expressão.

Vou lhes contar um segredo explosivo: os Kilfeather, vizinhos da casa ao lado, abrigam uma "pessoa alegrinha" sob seu teto, bem no seio da família, e não se trata de um rapaz — é muitíssimo pior que isso... É uma jovem. Uma "moça alegrinha"!

Agora, prestem atenção. Antes de pularem na minha garganta, me acusando de ser "homofóbica", vou logo avisando que não acho que seja uma coisa ruim ser um dos "Gays". Principalmente por achar que não existe uma coisa como essa, das pessoas serem "Gays" — elas só estão fingindo ser para parecerem muito moderninhas e descoladas. O que estou querendo dizer é o seguinte: vocês precisavam ver como Angela Kilfeather era antigamente — uma menininha tão linda que chegava a ser irritante; um anjinho com um monte de cachos pesados que lhe desciam pelos ombros — nossa, toda aquela fofura era revoltante! Foi então que de repente, não mais que de repente, ela se tornou uma "moça alegrinha" e arrumou uma "parceira" que ela beija abertamente, diante de quem estiver na rua para "apreciar" a cena.

E quando eu digo beijos são *beijos mesmo*, daqueles de língua, e não os beijinhos sociais horrorosos que temos de trocar quando encontramos alguém que conhecemos. (Alguém poderia ter a bondade de me dizer *quando foi* que essa mania se transformou no comportamento correto? Eu não consigo aguentar. Não sou muito de "demonstrar afeto", isso é uma baboseira inventada pelos programas de tevê. Também não quer dizer que eu sofra desse tal de "TOC" e tenha medo de pegar germes das pessoas, nada disso. Simplesmente acho essa história de abraçar e beijar todo mundo uma tolice completa.)

Onde estávamos mesmo?... Ah, Angela Kilfeather parada bem no meio da rua, aplicando beijos de língua em outra mulher sem demonstrar a mínima vergonha na cara. É claro que é da sua pobre mãe que eu tenho mais pena. (Para ser perfeitamente honesta, eu me delicio com isso e quase explodo de alegria porque Audrey Kilfeather, a mãe da "alegrinha", sempre me olhou meio de cima, entendem? Sua filhinha Angela era perfeita, tinha cachos pesados e perfeitos, enquanto minhas filhas andavam para cima e para baixo com o nariz empinado, munidas apenas de autoconfiança. Pois olhem para a sra. Audrey Kilfeather agora! "Engula essa, papuda!", como se costuma dizer... ou talvez não se use mais essa expressão hoje em dia, sei lá!...)

Apesar do fato de eles não existirem na realidade, eu me dou muito bem com "Os Gays" e todas as pessoas desse tipo. Aliás, eu me dou bem com todo mundo porque aceito cada um do jeito que é. Sou uma mulher que adora "gente" e tem um bom relacionamento com as pessoas.

V também é de...

Pode parecer engraçado, mas a única palavra que me vem à cabeça e que começa com V é "vagina", e quanto menos eu falar sobre esse assunto, melhor. Podemos passar direto para o W? Ah, não, não, esperem um pouco porque acabo de me lembrar de uma palavra interessantíssima...

V também é de Vajazzling

Foi Helen quem mencionou essa palavra pela primeira vez para mim — é claro, só mesmo ela para conhecer essas coisas. Pelo que eu soube, Claire faz isso o tempo todo, o tal do *vajazzling*. Se alguém me perguntar o que eu acho — embora isso não aconteça nunca —, tenho a impressão de que Claire passa a vida toda se cuidando e fazendo manutenção na sua aparência.

Teve uma vez que Helen me ligou e Claire também estava à nossa espera — não me lembro exatamente aonde íamos ou o que combináramos fazer, só sei que era algo que tínhamos planejado fazer juntas. Talvez uma visita ao centro de jardinagem. Na verdade, não sei por que motivo eu disse isso agora, pois nunca estive num centro de jardinagem em toda a minha vida. Vejo várias famílias na tevê fazendo esse passeio e me pergunto o porquê de nunca termos feito, mas a verdade é que nunca fizemos.

Ah, sim! Acabo de lembrar o que tínhamos planejado. Íamos até Shanganagh — o famoso cemitério de Dublin — a fim de reservar um túmulo para mim e para o sr. Walsh, já pensando no dia em que vamos "bater as botas". Talvez isso possa parecer mórbido, mas sabiam que é preciso fazer uma reserva lá, hoje em dia? — não dá para abotoar o paletó de madeira e ficar imaginando que haverá um túmulo à sua espera, simpático e bem localizado. Existe uma grande procura por pontos bons no cemitério, é preciso planejar com antecedência.

Por algum motivo, Claire e Helen resolveram me acompanhar — "só por diversão", segundo Helen.

Helen já tinha chegado, mas Claire não. Eu então, com o coração na mão e já me preparando para as respostas atravessadas, perguntei a Helen:

— Onde está Claire? — Fiquei esperando para ouvir poucas e boas... "Como é que eu posso saber onde Claire está? O que a senhora acha que eu sou? Anjo da guarda dela, por acaso?"... O blá-blá-blá de sempre.

Mas Helen me surpreendeu ao me oferecer uma resposta aceitável e muito civilizada.

— Claire vai se atrasar um pouco — informou. — Alguns cristais se soltaram da sua *vajazzle* e ela vai precisar voltar lá para colá-los novamente.

— *Vajazzle*? — perguntei. — O que é uma *vajazzle*?

Mais uma vez esperei que ela devorasse a minha cabeça sem nem uma pitadinha de sal, mas Helen respondeu com toda a calma do mundo:

— A senhora não sabe o que é uma *vajazzling*? Por acaso andou escondida dentro de uma caverna nos últimos tempos? Ah, claro, olhe para o estado em que a senhora está... Claro que *andou escondida* dentro de uma caverna. Muito bem, vou lhe contar o que significa *vajazzling*.

E contou mesmo. Vocês sabem do que se trata? Bem, primeiro vocês depilam com cera todos os pelos da região íntima e depois mandam colar pedrinhas cintilantes no lugar deles, sempre formando um desenho ou um padrão; pode ser um coraçãozinho vermelho, uma flor, uma borboleta ou qualquer coisa que vocês queiram.

Quando ouvi isso fiquei desconfiada. Achei que era uma daquelas coisas que Helen me conta como se fossem verdadeiras só para zombar de mim, mas ela pegou o smartphone e me mostrou os artigos e até mesmo algumas fotos.

Só então eu acreditei nela, mas fiquei um pouco atônita e desconcertada com esse negócio. Por que uma pessoa se daria a tanto trabalho? Foi então que a "ficha caiu", como se dizia na minha época.

— É como uma *tattoo*? — perguntei. — Uma espécie de arte corporal?

Helen coçou a testa e retrucou:

— Arte corporal? O que a senhora conhece sobre arte corporal, sua velha? (Isso mesmo, é assim que ela me chama, às vezes: "sua velha". Vocês já ouviram falar de tamanho desrespeito?)

— Não fique franzindo a testa assim — ralhei —, senão você vai ficar cheia de rugas. E *para sua informação*... — (puxa, eu adoro usar essa expressão) — eu sei muita coisa sobre *muitos* assuntos.

— Mas não sabia o que é *vajazzling* — retrucou Helen, porque não poderia deixar passar a oportunidade.

Mesmo assim o papo começou a ficar interessante. Estávamos nos dando bem e trocamos ideias "profundas" sobre o que uma mulher poderia colar em sua "área genital".

— Quem sabe uma flecha? — propus. — Uma flecha apontando lá para baixo, para o homem saber onde deve colocar seu instrumento?

Demos boas risadas imaginando a cena. Helen é realmente divertida quando temos a sorte de pegá-la num dia bom. Foi então que eu perguntei:

— *Você* já fez alguma sessão de *vajazzling*?

— Às vezes eu faço, sim — respondeu ela, numa boa.

— Margaret faz *vajazzling*? — perguntei e... Nossa! Quase rolamos no chão de tanto rir com a ideia! Foi cruel, eu reconheço, mas, se vocês conhecessem Margaret, entenderiam a graça... Ela não é esse tipo de mulher. Raspa as pernas raramente, quando alguém encosta uma arma em sua cabeça, mas não passa disso.

— Anna já fez *vajazzling*? — eu quis saber.

— É claro! — garantiu Helen, de forma enfática. — Ela trabalha na indústria de beleza e mora em *New York City*! É a lei! (Acho que essa história de "lei" era brincadeira.)

— E Rachel, ela faz *vajazzling*?

— Não sei — disse Helen pensativa.

Porque no caso de Rachel nunca dá para ter certeza de nada. Ela se tornou uma mulher muito séria desde que conseguiu um monte de qualificações e se tornou terapeuta de pessoas viciadas em drogas. Talvez eu não esteja me expressando de forma adequada, mas às vezes eu acho que ela era muito mais divertida quando ainda estava "nas drogas"...

Nesse momento, Helen e eu ficamos caladas durante vários minutos porque estávamos fantasiando uma cena em que exibíamos nossa *vajazzle* para Luke Costello. Bem, pelo menos *eu* estava.

Depois de alguns segundos, enxuguei o suor da testa e, para aliviar o clima, declarei:

— Quer saber de uma coisa? Acho que vou fazer uma sessão de *vajazzling*.

— É, por que não? — disse Helen, com animação... Animação demais, me pareceu, e eu tive certeza de que ela também pensava em Luke Costello. — Que figura a senhora colocaria ali? Padre Pio?

— Talvez — concordei, ignorando o fato de que ela estava fazendo pouco de mim usando um desrespeito para com o Padre Pio. — Quem sabe um Cornetto. Ou então... — disse eu, e já não consegui mais segurar o riso a essa altura: — Para atrair seu pai, talvez eu faça o desenho de um taco de golfe.

Subitamente Helen pareceu ficar petrificada, olhou para mim como se tivesse presenciado um pavoroso desastre automobilístico e afirmou:

— Essa imagem vai ficar na minha cabeça para sempre. Estou traumatizada pelo resto da vida!

— Sim — insisti, colocando "mais pilha" na história. — Acho que vou fazer um taco de golfe. Para seu pai ficar mais in-te-res-sa-do. Disse a palavra lentamente, sílaba por sílaba, "in-te-res-sa-do", para ficar mais apimentado.

— Vou passar mal. — Helen tapou a boca com a mão, correu para o lavabo do andar de baixo e eu comecei a ouvir sons de ânsia de vômito.

Eu sabia que ela não estava realmente passando mal; apenas fingia aqueles sons para dar um "efeito dramático".

— Sua geração acha que inventou o sexo — gritei, na direção dela.

— Cale a boca — reagiu ela. — Cale a boca!

— Você bem que gostaria que eu nunca tivesse feito sexo na vida!

— Cale a boca — repetiu. — Cale a boca!

— Como é que você acha que foi concebida?

— Cale a boca. — Ela guinchava ao longe. — Cale a boca!

— Quem souber contar — continuei, feliz por estar com a faca e o queijo na mão — vai descobrir que eu fiz sexo pelo menos cinco vezes!

E esse foi o fim do papo; nada mais foi dito sobre o tal do *vajazzling*.

Mas eu ainda penso no assunto, de vez em quando.

V também é de Vonnie

Deixem que eu lhes *conte* sobre Vonnie! Helen tem um namorado chamado Artie. Um homem muito bonito. Muito bonito *mesmo*. Aconteceu de eu ver, por acidente, fotos dele sem roupa nenhuma e vocês podem me acreditar: ele é um homem *imensamente* bonito. Meus sentimentos por Artie são, como eles dizem "nos facebooks", muito complicados, e um dos motivos de eles serem assim tão complicados é que Artie foi casado com uma mulher e seu nome é — como vocês já devem ter percebido — Vonnie. Não sei o nome completo, deve ser abreviatura de Yvonne, Veronica ou algo assim.

O motivo de Artie e Vonnie não serem mais casados é que Vonnie fugiu com um rapaz muito mais jovem do que ela e que usava um chapéu panamá. Naturalmente qualquer um imaginaria que os dois ex-casados, na condição de pessoas normais, se odeiam profundamente e falam mal um do outro para os filhos (eles têm três). Mas na-na-ni-na-não... Vonnie é a melhor amiga de Artie. O mesmo Artie que namora a minha filha! Viram só? Entendem onde quero chegar? São grandes companheiros, Vonnie e Artie. Vonnie vive enfurnada dentro da casa de Artie, promovendo churrascos, montando quebra-cabeças (sim, vocês leram direito! Quebra-cabeças!), e agindo diante do mundo como se eles fossem um casal muito bem-casado.

Para piorar as coisas, eu consigo entender o fato de os homens acharem Vonnie muito atraente. Ela tem corpo miúdo, é magra, consegue ser mais magra até que a filha de quinze anos, e não tem vergonha de exibir a parte de cima dos braços, pois sabe que nada vai balançar. Anda de um lado para o outro calçando sandálias de dedo, jeans desbotados e tops de tecido leve despencando dos ombros. Embora eu não goste de reconhecer isso, ela é muito bonita. E não apenas isso! É inteligente, divertida, grande companhia e uma profissional bem-sucedida.

Eu me preocupo com Vonnie. Mais especificamente, embora minha filha seja a mulher mais difícil de passar para trás em todo o planeta, eu me preocupo com Helen. Quando faço as minhas orações à noite, eu sempre peço a Deus: "Por favor, faça Vonnie ir embora. Não por morte, nem nada terrível desse tipo, mas o Senhor bem que poderia conseguir um bom emprego para ela em Antuérpia..."

X

X de Xilofone

Escolhi esse instrumento, apesar de não tocá-lo. Aliás, ninguém na minha casa toca nada. Na verdade, tenho orgulho de dizer que somos uma família totalmente antimusical. Existe algo mais cansativo do que fazer parte de uma família musical? Podem crer: essas pobres pessoas *nunca* recebem visitas!

"Eu não vou lá", é o que todo mundo pensa. "Não vou visitar aquele povo nem que a vaca tussa e o boi espirre. Mal a gente passa pela porta, eles surgem com suas sanfonas, pianolas e gaitas, começam a batucar com colheres nas coxas para marcar o ritmo ao mesmo tempo em que batem com o pé no piso de madeira. E esperam que você se junte a eles fazendo alguma coisa, recitando uma poesia sua ou algo do gênero. Eu passo longe de lá! Prefiro visitar os Cullen, porque eles têm um pula-pula gigantesco no quintal."

Os Walsh não são bons em nada, para ser totalmente franca. Não somos do tipo esportivo. (Margaret era boa em *camogie*, um jogo com bola e taco, mas isso faz mais de mil anos e ela abandonou o esporte em pouco tempo). Somos um desastre em jogos de adivinhação. Também não temos talento para artes dramáticas *de palco* (exceto pelo sr. Walsh, que fez uma ponta na produção do musical *Oklahoma!* e nos deixou loucos com seu "laboratório para atuação". Não comeu nada a não ser feijão durante mais de dez dias e se comunicava em oklahomês — "ocês tudo" isso, "ocês tudo" aquilo, e, quando achava que alguém estava com boa aparência, dizia que estava "bonito de doê". Deixou todo mundo subindo pelas paredes de irritação, quase literalmente).

Não consigo me lembrar de mais nada com a letra X... Não, esperem um pouco, falei cedo demais...

Y

Y de Yaris

Eu dirijo um Yaris. Helen diz que só pessoas velhas dirigem Yaris. Garante que o governo manda entregar um para todo cidadão que completa sessenta e cinco anos. Afirma o tempo todo que "não consegue descobrir a diferença entre um Yaris e um monte de cocô". Pois eu digo que o Yaris é um veículo excelente e muito jeitoso. É pequeno o bastante para caber em qualquer vaga. Ninguém conseguiria projetar um carro melhor do que o Yaris. Apesar disso, se só me restasse um dia de vida, eu adoraria ter a chance de experimentar um Porsche. Um Porsche 911, para ser mais precisa. Procuraria uma estrada vazia — talvez a M50, no meio da madrugada — e dirigiria a duzentos quilômetros por hora.

Z

Z de Zaganar

Sou obrigada a admitir que essa palavra foi inventada por Emily, amiga de Margaret, mas acabou sendo adotada por todo o clã dos Walsh. Até mesmo Imelda, minha irmã mais competitiva, a emprega o tempo todo, como se a tivesse inventado.

“Zaganar” é aquilo que acontece quando a pessoa tem algo contra alguma coisa ou alguém que a desagradou, de algum modo. É uma expressão fabulosa, extremamente versátil, e sugiro que vocês a usem agora mesmo.

Digamos, por exemplo, que você foi ao cabeleireiro para fazer uma hidratação, aumentou ligeiramente o volume dos cabelos e decidiu clarear um pouco os fios.

Saiu dali mais bonita do que nunca em muitos anos, e sabe disso. Então, você volta para casa feliz da vida. Seu marido e duas de suas filhas estão lá, e nenhum deles, *nem unzinho* menciona o quanto seus cabelos ficaram maravilhosos.

Sob antigas circunstâncias, você ficaria indignada com eles, talvez até mesmo enfurecida, mas esse tempo passou! Agora você pode "zaganar" todos eles.

"Zaganar" alguém é uma coisa que pode ser expressa de muitas maneiras — fazer ruídos, dar pancadas com as coisas e até bater nas pessoas é aceitável. Você poderia perguntar, por exemplo: "Alguém quer chá? Podem deixar que eu preparo. *Como sempre acontece*, não é mesmo?" Você sai da sala e faz um barulhão com a chaleira dentro da pia, enche-a de água com muito estardalhaço, bate com o utensílio na bancada, faz mais barulho ao pegar as canecas na cristaleira, abre com alarde a porta do armário dos biscoitos, coloca-os sobre a mesa com um estrondo, e assim por diante. É uma espécie de "exibição clara de ressentimento", só que com muito mais estilo.

"Zaganar" as coisas e as pessoas pode se transformar em um dos grandes prazeres da vida.

Z também é de Zayn Malik

Ele faz parte do One Direction. É um fofinho! Todos eles são fofinhos, mas Zayn é o meu favorito. Recentemente descobri algo inesperado a respeito deles — pelo que ouvi falar, eles também são cantores! Isso mesmo! Apresentam músicas no palco, gravaram CDs e até fazem shows! E eu que achava que eles existiam unicamente para exibir cabelos maravilhosos e posar como um grupo de rapazes fofinhos para calendários e *posters*!

Z também é de Zebra

Z não é de mais coisa alguma

E essa é a minha palavra final sobre o assunto.

Impresso no Brasil pelo
Sistema Cameron da Divisão Gráfica da
DISTRIBUIDORA RECORD DE SERVIÇOS DE IMPRENSA S.A.
Rua Argentina 171 – Rio de Janeiro, RJ – 20921-380 – Tel.: 2585-2000